Hubert Aquin :
la course contre la vie

DU MÊME AUTEUR

Cesare Pavese : l'homme fatal, Québec, Nota bene, 2002.

L'Œil de l'eau : notes sur douze écrivains des Pays-Bas, Montréal, Liber, 2002.

Le Rébus des revues : petites revues et vie littéraire au Québec, collectif sous la dir. de J. Beaudry, Sainte-Foy, Les Presses de l'Université Laval, 1998.

Livre & littérature : éditeurs littéraires du Québec des années 40 et 50, catalogue d'exposition, Sherbrooke, GRÉLQ, 1991.

La Philosophie & le Québec : des noms et des notes, Sherbrooke, Ex Libris, 1989.

Roland Houde, un philosophe et sa circonstance : itinéraire intellectuel d'un philosophe québécois de 1945 à aujourd'hui, Trois-Rivières, Bien public, 1986.

Autour de Jacques Lavigne, philosophe : histoire de la vie intellectuelle d'un philosophe québécois de 1935 à aujourd'hui, Trois-Rivières, Bien public, 1985.

JACQUES**BEAUDRY**

Hubert Aquin :
la course contre la vie

Constantes

HMH

Catalogage avant publication de Bibliothèque et Archives Canada

Beaudry, Jacques

Hubert Aquin : la course contre la vie

(Collection Constantes)
Comprend des réf. bibliogr. et un index.

ISBN 2-89428-909-X

1. Aquin, Hubert, 1929-1977 – Mort et sépulture.   2. Suicide dans la
littérature. 3. Aquin, Hubert, 1929-1977 - Critique et interprétation. I. Titre.
II. Collection.

PS8501.Q85Z58 2006   C843'.54   C2006-940274-4
PS9501.Q85Z58 2006

---

*L'auteur a obtenu le soutien du Conseil des arts et des lettres du Québec et du Conseil des
arts du Canada pour la réalisation de cet ouvrage.*

Les Éditions Hurtubise HMH bénéficient du soutien financier des institutions
suivantes pour leurs activités d'édition :

· Conseil des Arts du Canada ;
· Gouvernement du Canada par l'entremise du Programme d'aide au déve-
  loppement de l'industrie de l'édition (PADIÉ) ;
· Société de développement des entreprises culturelles du Québec (SODEC) ;
· Programme de crédit d'impôt pour l'édition de livres du gouvernement du
  Québec

Maquette de la couverture : Olivier Lasser
Maquette intérieure et mise en page : Andréa Joseph [PageXpress]

Éditions Hurtubise HMH ltée   DISTRIBUTION EN FRANCE :
1815, avenue De Lorimier   Librairie du Québec / DNM
Montréal (Québec)   30, rue Gay-Lussac
H2K 3W6   75005 Paris
                                     www.librairieduquebec.fr

ISBN 2-89428-909-X

Dépôt légal : 2ᵉ trimestre 2006
Bibliothèque nationale du Québec
Bibliothèque nationale du Canada

Copyright © 2006, Éditions Hurtubise HMH ltée

Imprimé au Canada
www.hurtubisehmh.com

Table des matières

Introduction 9

Chapitre premier
La guerre totale

Le corbeau 13

La fatigue 19

La mystique 26

L'insurrection 31

La détonation 36

La démesure 41

Chapitre 2
Le roman total

Le champ de bataille 45

L'apocalypse 48

L'opus consummatum 53

La forme des formes 56

La fin réussie 60

Le spectacle 63

L'impossible 67

La destruction 70

Chapitre 3
L'homme total

Œdipe 73
Hamlet 78
Dedalus 87
Ferragus 91
Faust 94
Le Surhomme 100

Sources 105

Index des noms 121

Introduction

*Qu'ai-je d'autre à faire que dire ce qui
me tue ? Mais hélas quel abominable
projet : je n'en sortirai pas.*

Hubert Aquin,
Journal, 11 septembre 1962

L'INTERDÉPENDANCE DES DESTINS personnel et collectif apparaît exacerbée chez certains auteurs éminemment lucides dont l'œuvre se présente en fin de compte comme le résultat d'un travail de compréhension où le désir d'un écrivain d'exister poétiquement se confond au besoin d'expression d'une communauté tout entière.

Vouloir venir à bout de l'œuvre intense d'Hubert Aquin est risqué parce que sa vérité est irréductible ; elle exige de nous une complicité telle qu'on s'y voit entraîné à devoir dépasser l'interminable interprétation par une affirmation foudroyante où chercher à savoir cesse parce que soudainement, avec elle, nous aussi, on sait. Parce qu'elle exige de qui veut la saisir vraiment d'excéder l'interprétation par une affirmation percutante, cette œuvre oblige à un effort de synthèse qui ne trouve son achèvement qu'au moment où sa vérité peut tenir en une seule phrase.

*L'œuvre aquinienne est l'objectivation d'une cons-
cience criminelle par la conscience tourmentée de sa victime.*
Cette phrase qui résume l'œuvre d'Hubert Aquin est
également une pièce d'un puzzle qui prendra forme le
jour où, pour nous révéler finalement le visage de notre
monde, seront réunies ces vérités auxquelles nous aura
conduit l'examen de chacun des itinéraires des écrivains de notre temps, morts d'avoir concentré au plus
profond de leur seul être ce qui était le partage de tous
les autres autour d'eux.

Recueillez les languettes de notre cervelle qui pendent au faîte des sapins; et après l'accomplissement de ce devoir, nous ferons tous ensemble un bon gueuleton de cervelle de veau.

Claude Gauvreau,
Les Oranges sont vertes

Chapitre premier

La guerre totale

Le corbeau

EN LISANT LES LETTRES de Vincent van Gogh à son frère, Antonin Artaud acquiert la conviction que le docteur Gachet détestait en réalité l'artiste et qu'il le détestait par-dessus tout comme génie. Le coup de fusil qui tuera bientôt Van Gogh alarme déjà les corbeaux d'un de ses tableaux où la terre, sous les ailes des noirs oiseaux, a l'air, estime Artaud, d'un linge sale, dès lors souillée, à nos yeux, par la même pourriture que fera monter à la surface le vol d'un autre corbeau, dont s'éprendra cette fois le jeune Hubert Aquin pour qui, le moment venu, quand il se trouvera être, tout comme Van Gogh, conduit au suicide, un Lemelin tiendra lieu de Gachet.

Les corbeaux du suicidé de la société donnent à Artaud une sensation de « tête ouverte » que l'œuvre d'Aquin ne manque pas de provoquer en nous. Placé devant elle, comment ne pas songer à un crâne éclaté, aux débris de son cerveau suspendus aux branches des arbres des jardins d'un couvent, pendus à cet endroit pour nous en révéler la dimension crucifiante. Ce jour-là, le 15 mars 1977, Villa Maria où repose une tête ouverte se révèle être le double figuratif de la place Ville-Marie dont Aquin disait qu'elle était le portrait non-figuratif de notre pauvre néant.

C'est en rêvant de voir s'écrouler ces étages de néant qu'Hubert Aquin entre en 1964 dans la clandestinité et se lance ainsi, sans le savoir, à la poursuite de lui-même. Prêt à tirer comme un vrai guérillero, c'est une interminable lassitude qu'il cherche à abattre dans l'élan foudroyant du terrorisme. Sa prise du maquis est le prolongement de sa réflexion sur la fatigue culturelle du Canada français, qui l'a mené à poser le problème de la guerre à la façon de Camus s'interrogeant sur le suicide, c'est-à-dire comme un mystère philosophique par le biais duquel ce qu'on tâche en fait de comprendre c'est la mort. La fatigue extrême, constate Aquin, fait aspirer à la fois à l'intensité (la guerre) et à la mort (le suicide). Ses ravages ressemblent étrangement à ceux que produit l'idée de mort suggérée par la collectivité dans la société maori où l'individu suggestionné, après une période préliminaire de dépression, devient soudainement excité, saisit quelque arme et se précipite à travers le village pour s'en prendre à tous ceux qu'il rencontre, jusqu'à l'épuisement ou, s'il ne peut pas trouver d'arme, se jette du haut d'une falaise dans l'océan et nage indéfiniment, jusqu'à ce qu'il soit sauvé ou noyé.

L'idée de mort que la collectivité lui suggère pousse le Maori à agir d'une façon qu'André Breton aurait qualifiée de surréaliste, lui pour qui l'acte surréaliste le plus simple consistait à descendre arme au poing dans la rue pour tirer au hasard tant qu'on peut dans la foule. Sartre, au contraire, n'aurait pas supporté de voir un écrivain tirer au hasard, comme un enfant; pour lui, celui qui choisit de tirer doit le faire en visant des cibles, comme un homme. La fougue révolutionnaire d'Hubert Aquin se compare à la course meurtrière d'un Maori qui voudrait tirer comme un homme. Il s'empare d'un revolver et, cible en tête, file en auto, prêt à tuer. Une fois arrêté et désarmé, il plonge dans l'écriture comme le Maori privé d'arme se jette à l'eau : pour être sauvé ou s'y noyer.

La lettre d'adieu du 29 mars 1971, date de sa tentative de suicide à l'hôtel Reine-Elisabeth, Aquin l'écrit à l'encre rouge. La voiture au coffre arrière taché de matière cérébrale, garée le 15 mars 1977 dans une allée de Villa Maria, est rouge grenat. Pour Artaud, le rouge qui s'enfonce dans les blés de la toile aux corbeaux, Van Gogh l'a transbordé là du fond de son cerveau. Du fond de la toile où désormais il se trouve, Sartre voit ce même rouge se prolonger jusqu'à l'infini. Hubert Aquin a fait du rouge la couleur d'une expiation personnelle qui le raccorde à l'universel. Sa tête, il l'a fait exploser à la façon théâtrale d'Œdipe ravageant la sienne. Elle est le vestige d'une insurrection dont le sens (qui tient en une seule phrase : « Ce serait une façon spectaculaire de me grandir ») échappe naturellement à la fouille tranquille des employés des pompes funèbres appliqués à ramasser les restes de cervelle, comme à la recherche fébrile de morceaux de crâne par quelques écoliers étourdis. « Qui ne sent pas la bombe cuite et le vertige comprimé n'est pas digne d'être vivant » — dans cette sentence que Van Gogh, au dire d'Artaud, se fit un devoir d'incarner, se trouve le sort d'Hubert Aquin. La peinture de l'un et les romans de l'autre sont agités de redoutables convulsions.

Van Gogh surprend ses corbeaux dans un ciel sombre, Aquin le sien dans l'obscurité d'une salle où on projette un film de Clouzot. Dans son petit compte rendu du film *Le Corbeau*, le jeune Aquin revendique la lucidité démasquante qu'il reconnaît à l'oiseau : « La lucidité du corbeau est l'acte de sa rancune contre la société. Cette société, dont il a longtemps subi l'envoûtement, il a conçu contre elle une telle haine qu'il ne pense plus qu'à la rabaisser, qu'à lui montrer à elle-même sa propre laideur qu'elle ignorait. C'est comme le revirement d'une infériorité, trop longtemps ressentie, contre ce qui l'opprimait ; l'homme longtemps écrasé veut écraser à son tour, il veut détecter dans ce qu'il respectait malgré lui, tout ce qui maintenant peut justifier sa haine. »

Artaud le savait : pour se défendre contre certaines lucidités, la société se sert de l'internement et aussi de l'envoûtement, duquel participe, précisera-t-on, la magie qu'exercent si naturellement le pouvoir et l'argent. Hubert Aquin a subi les deux : l'internement, à l'Institut Albert-Prévost, après avoir déclaré la guerre totale à tous les ennemis de l'indépendance du Québec ; l'envoûtement, par le riche Roger Lemelin dont il s'est approché en publiant *Neige noire* aux éditions du groupe Power. S'il a survécu à l'internement en fabriquant une bombe : *Prochain épisode*, il s'arrachera à l'envoûtement en en faisant éclater une : Hubert Aquin.

Avec la lettre du 3 août 1976 à Roger Lemelin, livrée publiquement le 7 dans *Le Devoir*, Aquin se libère d'une entreprise de « paupérisation » qu'il a vu s'exercer de façon « princière » et qu'il s'applique maintenant à mettre à nu pour faire comprendre, dit-il, en quoi et pourquoi il a été dupe individuellement d'un piège qui fonctionne si bien au niveau collectif. Du même coup, il achève de découvrir qui il est lui-même : celui, toujours, dont le cœur endurci se réjouissait à vingt ans de voir le corbeau faire monter à la surface toute la pourriture.

La lettre explosive d'Hubert Aquin à Roger Lemelin a été rédigée avec la lucidité noire du corbeau. Aquin préfère sentir la bombe — le nez, le palais, les os des joues éclatés, la langue noircie par la poudre — que de se faire complice de certaines saletés. Les vérités insupportables qu'il lance au Président et Éditeur des éditions La Presse, on ne veut pas les entendre. C'est de la société qu'Hubert Aquin est alors congédié et en le congédiant, ce monde qu'il venait de démasquer le suicida.

Après s'être enfoncé le canon d'une carabine dans la bouche, Aquin se fait sauter la cervelle le 15 mars. Le 25, Roger Lemelin n'en dit rien — ri-en — dans son allocution au colloque du Parti libéral du Canada, à Toronto, où il déclare : « *What does Quebec want ?*, ça n'est pas la question qu'il faut poser, c'est *How does Quebec feel ?* » Opposant au terrorisme, aux bombes, à l'anarchie et au désordre, les richesses à exploiter, la survie économique, les grandes affaires et un capitalisme fort, Roger Lemelin, qui commente l'élection récente d'un parti politique dont l'objectif est l'indépendance du Québec, demande : « Les Canadiens français en arriveraient-ils à risquer cette aventure suicidaire ? », et répond : « Faites-leur confiance. Ils savent de quel côté leur pain est beurré ». Dans la brochure qui contient le texte de son discours, il est signalé que des exemplaires peuvent être obtenus au service des Relations publiques de La Presse, mais rien ne précise si l'allocution de Lemelin eut lieu au cours d'un dîner fin, qu'on imagine sans peine aux allures de riche gueuleton de cervelle de veau.

Les grandes affaires ont joué dans le destin tragique d'Hubert Aquin un rôle semblable à celui qu'Artaud reconnaît à la psychiatrie dans la tragédie de Van Gogh : celui d'une « espèce de garde suisse pour saquer à sa base l'élan de rébellion revendicatrice qui est à l'origine du génie ». L'éditeur Roger Lemelin, « millionnaire », a été pour l'écrivain ce que fut le docteur Gachet, « psychiatre », pour le peintre : une sorte de cerbère. Le monde merveilleux de Lemelin s'est en effet vite transformé en enfer pour Aquin. L'archi-écrivain qu'il s'était senti être en tant que directeur littéraire, prêt à favoriser l'explosion de *tous* les écrivains par la réalisation notamment d'un dictionnaire de *toutes* les œuvres littéraire du Québec, constate vite sa réduction à zéro sous le contrôle contraignant du P.d.g. Claude Hurtubise dont il se plaint auprès de Lemelin qui s'en lave les mains en confiant le mandat de régler le problème à un gestionnaire, Guy Pépin (« ombre de la Power Corporation »), qui torpille promptement le projet de dictionnaire.

Roger Lemelin écrit à Aquin le 10 juin 1976, au sujet des deux « mini-maisons d'édition » (Aquin et Hurtubise) engagées, au sein même de La Presse, dans une lutte à finir. Aquin à qui Lemelin avait confié en l'attirant à La Presse le mandat de faire de la maison une « NRF québécoise », ne pourra supporter de se retrouver à la tête d'une mini-maison, ni l'archi-écrivain d'être réduit à rien. Hubert Aquin écrit en fait la lettre insurrectionnelle du 3 août pour sortir d'un enfer qui le néantise. Car il y voit clair ; la néantisation, il sait ce que c'est. Il l'avait déjà dénoncée dans « La fatigue culturelle du Canada français » qui était une réponse percutante à la rhétorique de Pierre Elliott Trudeau. Il la dénonce à nouveau dans sa lettre armée à Roger Lemelin, où il cite la déclaration de l'éditeur rapportée dans *Perspectives* le 5 juin : « Il n'y a pas de littérature québécoise… »

Dans une lettre à Lucien Pépin datée du 15 avril 1952, le jeune Aquin se demande jusqu'à quel point l'inadaptation fait l'artiste et, songeant notamment à Van Gogh, confie à son ami voir en chacun de nous des « désirs sans prolongement » dont la plupart s'accommode mais qui, chez l'artiste, prennent l'aspect d'une ombre planant sur tous les instants de sa vie et qui n'est rien d'autre que la présence de la mort lui rappelant sans cesse qu'il est condamné à mourir « affreusement insatisfait ». Cette conscience, poursuit-il, peut pousser à toutes les extrémités, même à *créer* — ce qui est bien une extrémité, s'exclame Aquin, ou à *se tuer* — ce qui est sans doute l'autre.

Un an environ après la mort de l'écrivain, pas plus, La Presse qui en a épuisé l'édition, abandonnera volontiers ses droits sur le roman *Neige noire*, agissant comme ces exécuteurs qu'Artaud entendait dire à l'artiste : « Et maintenant, assez, Van Gogh, à la tombe, nous en avons assez de ton génie. »

La fatigue

En déclarant le 5 juin 1976 dans *Perspectives* qu'il n'y a pas de littérature québécoise, mais une littérature d'expression française en Amérique du Nord, Roger Lemelin se fait l'écho de ce que soutenait trente ans plus tôt celui qui se trouve être maintenant son conseiller spécial à La Presse, René Garneau, qui avait signé, le 4 novembre 1946, en première page du supplément littéraire du journal *Le Canada*, un article intitulé « La Crise est dans l'esprit » où il mettait en garde ses lecteurs contre la crise d'orientation de jeunes écrivains désireux d'autonomie littéraire, qui pourrait dégénérer, « parce qu'ils auront choisi une voie sans issue pour eux-mêmes et pour leur peuple, en une crise de la nation canadienne-française » et ainsi, ajoutait-il, l'« amputer du cerveau » ! Cette amputation de la cervelle que redoutait tant celui qui était ambassadeur du Canada en Suisse au moment où Aquin chercha à s'y exiler après son épisode terroriste et dont il fut expulsé, finalement, d'autres avec lui y verront : la tête d'Aquin éclate sept mois après son renvoi de La Presse, une quarantaine de jours après le règlement de son congédiement.

La rédaction de la lettre du 3 août 1976, qui n'est pas d'abord une lettre, au dire même de son signataire, mais l'analyse d'une situation, plonge Aquin dans la même lassitude qu'il avait éprouvée jadis devant les résultats d'une autre analyse, celle entreprise en 1962, portant sur la fatigue culturelle du Canada français. Cette grande lassitude, les deux fois, le fera d'abord écrire — la « lettre morte » de 1963 à Gaston Miron et la « lettre faire-part » de 1976 à Michèle Favreau — pour ensuite le faire aspirer à agir : à tuer ou à se tuer. À la fin de sa lettre à Miron se trouvent les trois mots qui commencent la lettre à Favreau : « Il me presse ». Dans la première lettre, il s'agissait de vivre en s'exposant au danger de périr, dans la seconde, de périr en s'opposant à l'ennui de vivre : de dire oui à la révolution dans l'une, à la fin dans l'autre. Pour Aquin, le fracas terroriste des premières déflagrations du Front de libération du Québec en mars 1963 « a redonné vie à tout ce qui finissait au Canada français » ; le fracas anarchiste qui lui permet, quand tout finit pour lui, d'arracher un dernier plaisir à la vie, arrive en mars 1977, avec la décharge dont il se fait sauter la tête. Car si Hubert Aquin a été suicidé, il s'est aussi enlevé la vie, une vie insupportable parce que réduite à une sous-vie. Dans la frénésie du terrorisme (qu'il comparait à une tempête de neige noire) comme dans la furie du suicide (précédé de son dernier roman *Neige noire*), Aquin cherchait une façon — spectaculaire — de se grandir.

Hubert Aquin sans arrêt, tout au long de sa brève existence, luttera à mort et par toutes sortes de moyens extrêmes (terrorisme, vitesse, drogues, baroquisme, suicide) contre tout ce qui rapetisse la vie. S'il rédige dans un état d'urgence une réponse à « La nouvelle trahison des clercs », c'est qu'il trouve tout à coup condensée dans la « pensée tranchante » de Trudeau une rhétorique dominatrice appliquée à ce rapetissement insupportable générateur au Canada français d'une fatigue qui se traduit par un déficit d'être : déficit politique (n'avoir de culture que dépolitisée) et déficit historique (n'être indispensable qu'à la destinée de l'Autre), une dévaluation qui ne cessera de torturer Aquin comme si, tel un supplice dantesque, elle devait être sans fin et qui, de fait, se présentera encore à l'autre bout de sa vie, au royaume de Lemelin, sous l'aspect d'une entreprise où se trouve brutalement rejeté « tout ce qui tend à valoriser le Québec comme entité politique indépendante ou comme culture nationale ». Ce n'est qu'après sa mort que se refermera le cercle dont l'origine remonte à 1962, au moment où, à partir d'un article de Pierre Elliott Trudeau, Aquin écrit « La fatigue culturelle du Canada français » dans une chambre d'hôtel de la ville de Toronto, là où quinze ans plus tard, au lendemain de son suicide, Roger Lemelin l'enterrera sous une phrase (*How does Quebec feel?*) au cours d'un colloque du Parti libéral à présent dirigé par le même Trudeau, devenu Premier ministre du Canada.

Aquin arrive dans ses analyses à saisir le sens collectif de sa propre humiliation et le sens personnel d'une dévaluation collective. Sa troublante lucidité hausse à un degré d'exigence pour un seul pratiquement intenable, son œuvre et son action. Quand il choisit de combattre dans la clandestinité, c'est pour vaincre la mort que représente *sous-vivre*; quand il enfonce le canon dans sa bouche, ce n'est pour rien d'autre. Hubert Aquin travaille avec la mort (tuer ou se tuer), mais pour *sur-vivre*, c'est-à-dire pour vivre une vie qu'on ne peut vivre : la vie libre, insoumise, qui ne s'obtient pas des autres, mais par la seule force de vivre sa propre vie. À la fatigue de damné qui le néantise, il oppose une violence égale à son désir d'affirmation : une sorte de vie négative qui doit annuler ce qui le nie.

Dans *L'Être et le Néant*, Sartre raconte une escalade au cours de laquelle le grimpeur, animé du « sentiment obscur d'une sorte de mission », tolère sa fatigue jusqu'à s'y perdre totalement, parce qu'elle lui permet en quelque sorte de faire exister au maximum la pente dont il cherche à s'approprier la « valeur montagneuse ». Se donner pour mission, comme le proposait Trudeau, de devenir indispensable à la destinée de l'Autre (« Si l'État canadien a fait si peu de place à la nationalité canadienne-française, c'est surtout parce que nous ne nous sommes pas rendus indispensables à la poursuite de *sa* destinée »), c'est choisir son propre néant. La liberté de celui qui fait ce choix est la liberté de celui pour qui, ne connaissant d'autre état que la servitude, la servitude n'existe pas. Hubert Aquin n'est pas dupe, son analyse de la fatigue du Canada français dénonce le joug qu'impose à celui-ci le choix de « la fonctionnarisation de préférence à sa totalisation ». Ce qui rendra si douloureux — et fatal — l'épisode de La Presse pour Aquin, c'est de constater être tombé là dans un piège que pourtant il avait très tôt découvert. S'il a cru parvenir à la *totalisation* en acceptant un rôle de directeur littéraire — où il se sentait engagé vis-à-vis *tous* les écrivains et *toutes* les œuvres littéraires du Québec —, il a vite saisi qu'il ne pouvait connaître à La Presse nulle autre responsabilité que celle inhérente à la subordination de toute fonction et jouir des avantages de la fonction — honneurs (Aquin reçoit le prix de l'Éditeur de La Presse pour l'ensemble de son œuvre), salaire et sécurité — qu'à la condition de ne pas faire d'histoires.

Dans sa réponse à Trudeau, Aquin faisait comprendre que le Canada français est globalement « fonctionnarisé » ; dans la lettre à Lemelin, il a compris qu'il l'est maintenant lui-même. « Un fonctionnaire n'est ni un entrepreneur, ni un politique » : subordonné à l'État fédéral, le Québec demeure impuissant à devenir une entité politique indépendante ; embarqué dans la « machine anti-québécoise » de La Presse, Aquin voit tous ses projets d'envergure écartés. Comment la douleur désespérante d'une servitude toujours pareille (en 1976 comme en 1962) pouvait ne pas le conduire à se supprimer et chercher la liberté dans la mort. Pleinement conscient du rapetissage sans fin dont, vivant, il est « collectivement » et dorénavant aussi « personnellement » l'objet, Aquin agit à fond pour devenir un grand mort. L'acte par lequel il s'enlève la vie est le puissant surgissement d'un imprévisible vouloir-vivre.

Aquin sort de la lutte à la fois vainqueur et vaincu : l'espèce d'anapothéose que représente son suicide est l'ultime affirmation de sa pleine identité et son refus d'en troquer une portion contre une quelconque consécration aux airs d'apothéose qui, qu'elle soit sanctionnée par Ottawa, Paris ou Power Corporation, s'achève forcément dans la sublimation dans un grand Tout toujours appliqué à réduire quelque chose à rien. Cette anapothéose est aussi la solution du problème aquinien « d'être faute d'être » : Hubert Aquin ne sera désormais plus écrivain faute d'être terroriste ou banquier, il l'est une fois pour toutes, même s'il n'écrira plus ; le projet d'une édition critique de son œuvre, qui voit le jour quelque temps après son suicide, l'atteste. En s'enlevant la vie, Aquin a dépassé douloureusement une difficulté d'être qui s'était transformée à la fin en fatigue d'être.

Le cercle qui, de l'article de Trudeau au discours de Lemelin, s'est refermé sur Aquin est un cercle rhétorique chargé d'écraser dialectiquement ce qui résiste à la sublimation dans « un grand Tout » : confédération ou mondialisation, culture impérialiste ou haute finance. Armé d'une dangereuse faculté critique, Hubert Aquin a fait la guerre aux mots qui réduisent en épuisant (la fatigue culturelle) puis déréalisent en déprimant (la fatigue d'être). Placé devant une subordination intenable, il a choisi l'insubordination dont le revolver qu'il porte à sa ceinture en 1964 ou le fusil qu'il cache dans sa voiture en 1977 sont les symboles. Aquin s'est élevé au-dessus d'un cercle rhétorique qui nie, par la spirale d'une violence qui affirme. Ce que cherchait Aquin, c'est l'identité avec soi-même dont nous prive la fonctionnarisation : on ne peut à la fois être une fonction et une totalité. Ce que refusait Aquin, c'est la servitude de l'homme commun, c'est d'être réduit à remplir une fonction donnée nécessaire pour une totalité dont on n'est pas maître. Ce qui l'a sauvé enfin, c'est une intimité avec la mort qui affranchit de cette peur qui fait accepter la vie telle qu'on nous la donne. Pour Hubert Aquin, être égal à soi-même est nécessaire, vivre sinon n'est pas nécessaire.

La « lettre morte » à Gaston Miron et la « lettre faire-part » à Michèle Favreau préludent à l'action : l'une, au combat dans l'ombre et l'autre, à la liquidation au grand jour. L'entrée d'Hubert Aquin dans la clandestinité en 1964 et sa sortie fracassante de la vie en 1977 témoignent toutes les deux d'une même chose : de sa rupture avec une société qui triche. À cette tricherie qui s'emploie, comme il le voit bien, à épuiser les velléités d'insoumission et d'indépendance par les manœuvres de la rhétorique, Aquin, d'abord en prenant le maquis et finalement en attentant à sa propre vie, répond que l'existence n'est pas une chose à dire, mais à vivre. Le danger de mort où le placent le combat et l'attentat — deux moyens de *sur*-vivre, c'est-à-dire de vivre au-dessus d'une vie réduite à *sous*-vivre — vient combler pour lui un déficit de vie que la « lettre morte » et la « lettre faire-part » confirment. Aquin se définit dans l'une par sa « lassitude » qui le presse de vivre, dans l'autre par un « ennui » qui le presse de mourir. Dans une société tenue en état de *déficit* permanent où la vie jamais n'atteint la totalité de la vie, s'acharner à la rejoindre condamne à l'expulsion : donc, à la mort.

Aquin cherche constamment à combler le manque de vie par une sorte de *sur*-vie ; confronté à un déficit d'être qui semble immuable, il ne lui restera plus, pour arriver néanmoins à être totalement, qu'à finir d'exister. Sa mort est l'expression finale d'un refus obstiné et fatal de sous-vivre.

Pour qu'écrire ne soit pas sous-vivre, Aquin doit écrire violemment. La relecture qu'il fait de son étude torturante de 1962 sur la fatigue culturelle du Canada français lui fait pousser un cri ; la dénonciation violente du 3 août 1976 est cela même, un cri. Pour qu'incontestablement sa vie ne soit pas une sous-vie, Aquin doit aussi agir violemment. En choisissant en 1964 de combattre clandestinement pour l'indépendance du Québec, il crie oui à la révolution ; son suicide le 15 mars 1977 sera son dernier cri. Le cri permet à Aquin d'échapper à l'asile des mots où l'on tente de nous enfermer collectivement. L'énorme mécanisme de la rhétorique transporte l'être hors du monde, dans nos cerveaux. En pulvérisant le sien, Aquin replace l'être dans la vie : son acte est l'acte d'un vivant.

Hubert Aquin voyait dans la lutte dialectique un dérivé de la guerre. Ce qui le différenciait de ses adversaires, c'est qu'il s'agissait pour lui de leur faire face, pour eux, de le nier. La dangerosité de la dialectique aquinienne tient à la connaissance de l'âme de son adversaire. L'éristique nie son interlocuteur qui n'est jamais pour lui que l'ennemi, le dialecticien, lui, l'aime. L'analyse de la fatigue culturelle du Canada français s'achève d'ailleurs sur une dialectique d'opposition qui doit devenir une dialectique d'amour et participer de cette façon à une vaste entreprise de convergence dont Aquin fixe une condition préalable en citant la formule teilhardienne : « Il faut des nations pleinement conscientes, pour une terre totale. »

La mystique

L'universalisme que propose Aquin, parce qu'il est fondé sur « le *plus-être* individuel sans lequel il deviendrait futile de vouloir s'unir », se trouve être le contraire de la mondialisation dont la surévaluation implique une dévaluation de tout particularisme, ceux-ci se voyant astreints, sous la domination de celle-là, à *moins-être*. L'universalisme d'Aquin est la recherche avec les autres de la totale possession de soi-même. L'aventure individuelle est pour lui indissociable de l'aventure collective et l'aventure collective, de l'aventure cosmique, et chacune doit ouvrir sur un plus-être. Ce qui vit en permanence dans un état de « déficit d'être » meurt en continuant de vivre. C'est cette roue d'Ixion qu'Aquin tente d'enrayer, prêt pour y arriver à tuer comme à mourir. Hubert Aquin mène seul un combat collectif et cosmique. Les accents christiques de sa déclaration de guerre à tous les ennemis de l'indépendance (qui est en même temps une déclaration d'amour au Québec) sont un indice du sens cosmique de son combat, sens dont les confidences à Michèle Favreau achèvent de nous convaincre : « Ce que je voulais te dire, en fin de compte, Michèle, c'est que l'histoire individuelle est indissociable de l'aventure cosmique et que le sens mystique se glisse précisément à la charnière du moi et du collectif... »

À l'extase que promet un grand Tout (politique ou financier) *impatient* de s'affirmer aux dépens des existences particulières, Hubert Aquin préférera l'extase d'un voyage *ralenti* vers le « nucleus du moi » : l'une vide, l'autre comble. À l'approche du suicide, il se passe en effet chez Aquin un singulier renversement : la vitesse qui jusqu'ici intensifiait sa vie en le mettant en danger de mort, fait place à un ralentissement qui au seuil de sa mort épaissit son présent. Aquin ressent alors ce qu'éprouvent à la fin de *Neige noire* Éva et Linda plongées dans l'extase : un épaississement qui prolonge le présent jusque dans la nuit des temps, une sorte d'« endieusement » (« Dieu sera tout en tous ») dont témoigne également la lettre à Favreau (« Dieu seul est devant et autour »). Aquin, prêt à mourir, se rend si loin en lui-même que son seul moi prend des proportions cosmiques. L'extrême concentration en soi-même, pareille à une agonie, projette le moi hors de soi. La conscience individuelle se révèle alors être l'assise de la conscience universelle et le commencement n'être le commencement qu'à la fin. Dans la crise extatique, le savoir est inséparable du sacrifice ; « celui qui sait » se prolonge jusque dans son propre néant. Aquin est le suicidé d'une société qui le réduit à rien, mais en même temps il est celui qui en se supprimant s'affirme totalement : le rien qui est zéro se voit comblé par un néant qui est plénitude et qui l'annule.

Une vie continûment déficiente oblige à la révolution : ou bien la révolution permanente, ou bien la mort. La révolution, comme la passion, entraîne la destruction de celui qui s'y abandonne de toutes ses forces ; la lutte totale contre le manque de vie est donc toujours fatale. Mais le sort qui nous imposait sa mort (un déficit de vie) s'y trouve contré par une volonté qui le vainc en choisissant la sienne (un excès de vie). La révolution et la passion sont une lutte à mort contre la mort, pour une possession totale de soi jusque dans la mort. Aquin tire vers le haut ce que d'autres s'acharnent à pousser vers le bas. L'impuissance qu'on accule à la mort — donc à rien — se trouve contrée par une toute-puissance qui choisit même sa mort — donc tout. Se placer volontairement en danger de mort divinise, car la puissance s'éprouve dans le risque, la toute-puissance dans le risque total. La passion sans terme et la révolution permanente — l'amour (absolu) et la guerre (totale) — sont animées par une même irrépressible volonté de mort et un refus pourtant des limites de la condition mortelle. Le suicidaire est un mystique ; il s'intoxique de mort pour connaître une ivresse divine.

Pour Aquin, la mort de la passion (au plan individuel) et la mort de la révolution (au plan collectif) sont la fin de tout. La mort volontaire est préférable à leur perte ; elle est un concentré de la violence qui donnait à l'une et à l'autre son éclat. Musset en qui convergent les violences et du révolutionnaire et de l'amant personnifie cette volonté de mort qui veut exalter la vie au-dessus de la vie. Aquin cite en exergue au roman révolutionnaire *Prochain épisode* la lettre d'un amant : Musset. La passion de Musset et le terrorisme d'Aquin se rejoignent : ils sont l'une et l'autre une épreuve de l'impossible. Les rêves d'héroïsme et d'amour se transforment dans la réalité en sacrifice de soi-même, seule alternative à leur accomplissement dans la vie. La passion sans terme est une mystique de l'amour, la révolution permanente une mystique de la guerre : celui qui tente de vivre l'une ou l'autre veut l'infini dans le fini, la réconciliation vertigineuse du rêve et de la vie.

« Comme ces derviches insensés qui trouvent l'extase dans le vertige, quand la pensée, tournant sur elle-même, s'est épuisée à se creuser, lasse d'un travail inutile, elle s'arrête épouvantée. Il semble que l'homme soit vide, et qu'à force de descendre en lui il arrive à la dernière marche d'une spirale. Là, comme au sommet des montagnes, comme au fond des mines, l'air manque, et Dieu défend d'aller plus loin. » Avec la lettre du 3 août 1976 qui finit de creuser la pensée exprimée dans l'article de mai 1962 sur la fatigue du Canada français, Aquin arrive à ce même degré de conscience exprimé par Musset au chapitre 5 de *La Confession d'un enfant du siècle* ; dorénavant, comme pour Musset, Dieu seul pour lui est devant et autour. À la dernière marche de la spirale aquinienne, se trouve donc le commencement de tous les commencements.

La décélération de sa vie sous l'effet d'une extrême lassitude provoque chez Aquin une concentration en soi-même qui a quelque chose du recueillement. Schelling écrit dans la huitième lettre sur le dogmatisme et le criticisme : « L'intensité de notre conscience est en raison inverse de l'extension de notre être. Le moment le plus élevé de l'être est pour nous le passage au non-être, le moment de l'*anéantissement*. C'est dans ce moment de l'être absolu que se trouvent réunies la plus grande passivité et l'activité la plus illimitée. » Même affligé d'une fatigue infinie, Hubert Aquin résiste à une mort qui le nie, pour affirmer sa plénitude d'être par une mort qui le magnifie. Il prend sur lui ce dont il n'est pas responsable — son suicide par la société — afin de ne pas périr d'impuissance. Il affronte ce contre quoi le commun des mortels ne peut rien : la toute-puissance des ordres établis. En bravant ainsi une toute-puissance, Aquin affirme la sienne propre et se révèle être comme Dieu est. Il quitte les ténèbres d'un monde qui le condamne à n'être que l'ombre de lui-même dans l'éclat d'une décharge où brille une souveraineté implacable. Il s'arrache à la mort par la mort, comme un Christ. Chez lui, la plus haute affirmation ne fait qu'un avec la plus haute négation. En surpassant ainsi le dilemme d'être ou ne pas être, Aquin assassine Hamlet. Les citations de Shakespeare dans *Neige noire* contribuent à donner au récit une dimension cosmique que l'auteur du roman reconnaissait à sa vie et dont d'ailleurs sa fidélité à la pensée de Teilhard de Chardin est la première et la dernière preuve. Son analyse de la fatigue culturelle du

Canada français en est déjà pénétrée ; elle s'achève sur la vision teilhardienne d'une réconciliation finale de ce qui est « propre » et de ce qui est « universel ». À la toute fin de son dernier roman, *Neige noire*, le point Oméga vers lequel tend la vie qui doit mourir pour renaître à l'échelle cosmique, est également teilhardien. Aquin voulait par la révolution étreindre l'Univers comme Éva dans sa passion embrasse le Divin.

La pratique de Nietzsche ou de Schelling n'a pas séparé Hubert Aquin de Teilhard de Chardin. Si en intensifiant la puissance de sa volonté au point de l'imposer à la mort, Aquin s'est en quelque sorte surhumanisé et approché de la figure nietzschéenne du Surhomme, par l'intensification de sa puissance de compréhension jusqu'à son point extrême, il s'est aussi surhumanisé, mais en se rapprochant là de la figure teilhardienne de l'Ultra-humain. Aquin salue Schelling en plaçant en épigraphe d'*Obombre*, son dernier projet de roman, la phrase suivante : « Le commencement n'est le commencement qu'à la fin », mais il n'en cesse pas moins, par le choix même de cette phrase, de côtoyer Teilhard dont l'œuvre maîtresse, *Le Phénomène humain*, est construite sur le motif selon lequel dans le monde rien ne saurait éclater un jour comme final qui n'a pas d'abord été primordial. *Neige noire* s'achève d'ailleurs sur une illustration de cela : le Christ de la Révélation — symbole de la fin du monde — s'y manifeste par l'intermédiaire d'un personnage dont le nom — Éva — évoque son commencement.

Aquin en affrontant un monde qui le prive et nous aussi de l'assurance d'arriver individuellement et collectivement jusqu'au bout de soi-même, concentre en lui seul l'angoisse de tous : ce « mal de l'impasse » que Teilhard de Chardin plaçait au cœur de l'inquiétude moderne et dont traitait à sa façon dans *L'Inquiétude humaine* Jacques Lavigne, le maître du jeune Aquin quand il étudiait en philosophie et préparait un mémoire sur la communauté et l'acquisition de la personnalité. Confrontée à l'idée d'un Je qui, tirant vers le Collectif et l'Universel, décroît et s'annule au profit d'un Grand Tout, l'intuition teilhardienne soutient le contraire : pour elle, la Personne, le Collectif et l'Universel se resserrent quand la conscience personnelle culmine et atteint sa perfection. Pour Teilhard, la différence entre la vraie et les fausses mystiques, qu'elles soient politiques ou religieuses, est que celles-ci annihilent alors que celle-là parfait. Chez Teilhard de Chardin, l'impersonnalisation (le rien) cède la place à l'hyper-personnalisation (le plus). La pensée de Teilhard se présente comme une sorte de surpassement du nihilisme : il ne s'agit plus d'agir pour être moins et au bout du compte n'être rien, mais d'agir pour être plus.

L'insurrection

Hubert Aquin se tue pour arriver à transmettre aux autres plus que l'ombre de lui-même ; il fut un jour prêt à tuer pour que collectivement nous parvenions à être plus que l'ombre de nous-mêmes. Sa résistance à l'oppression (privée ou publique), parce qu'elle est désorganisatrice, se confond avec celle de l'anarchiste. Seul un état intégral de délinquance aurait pu peut-être arriver à combler le besoin chez lui irrépressible d'être plus. Le pouvoir magnifiant et libérateur de l'adultère et de la transgression, de la clandestinité et de la fugue, des démissions et des ruptures qui jalonnent sa vie, culmine dans son suicide. L'entrée d'Aquin dans la mort ressemble étrangement à son entrée dans la clandestinité qui lui faisait écrire : « Je refuse de pactiser plus longtemps avec l'ordre social qui nous étrangle. »

L'ordre qui règne à La Presse est le calque de cet ordre contre-révolutionnaire qu'Hubert Aquin avait choisi de combattre clandestinement et « par tous les moyens possibles », un ordre qui cherche à paralyser la volonté, comprime les initiatives, transforme l'énergie en fatigue (fatigue culturelle et fatigue d'être) en usant d'une rhétorique qui domine l'action et d'une compensation (honneurs, salaire, sécurité) qui doit priver celui qui en jouit de certaines possibilités d'action. C'est un ordre tout à fait comparable à celui des pouvoirs dirigeants dont Sartre dénonçait la tactique de pensionner l'artiste pour contrôler sa puissance destructrice.

Ce qui saute aux yeux quand on réunit les analyses extra-lucides qu'Aquin a faites de l'épisode catastrophique de La Presse et de la fatigue culturelle du Canada français, c'est l'union de l'argent et de la politique, leur commun travail d'assujettissement qui pour asseoir un règne (le leur) mise sur le sentiment d'impuissance et sur la peur, sur celle surtout qu'on a oubliée parce qu'elle est devenue une habitude, mais à laquelle carburent en accord la « grande » politique et la « haute » finance. La liquidation d'Aquin par cette machine est un attentat contre chacun qui lutte pour réduire le potentiel d'anéantissement dont disposent les pouvoirs en ce monde.

C'est parce que rien en lui n'est dû à la peur de la mort qu'Aquin arrive à s'affirmer là même où les autres sont anéantis : c'est-à-dire *dans* la mort. Son suicide sert à la rhétorique et aux compensations une réponse et un refus sans mots qui renversent l'état des choses : c'est un acte total qui l'emporte sur ce sur quoi comptait l'ordre pour étouffer l'action.

Dans une longue note de bas de page presque à la fin de sa brillante thèse sur *La Persuasion et la Rhétorique*, Carlo Michelstaedter nous dit que la phrase « Celui-là est fou » constitue « la forme la plus commune de vengeance de l'homme déçu contre celui qui par son action trouble ses illusions et le contraint — chose odieuse — à l'étonnement (ce qui est l'aveu de sa propre insuffisance) ». Le Président et Éditeur de La Presse, Roger Lemelin, dans sa réponse publique à la lettre du 3 août, qualifie l'analyse d'Aquin de propos « hautement farfelus » et de « divagation ». Le P.d.g. Claude Hurtubise s'était pour sa part déjà plaint de la « confusion » causée par les initiatives d'Aquin et de ses « enfantillages ». Le conseiller spécial de Lemelin à l'époque, René Garneau, renchérira en parlant sur les ondes de Radio-Canada International en 1981 de l'« instabilité fondamentale » de la personnalité d'un écrivain dont la situation personnelle avait été déjà, au milieu des années 1960, « très compromise auprès des autorités responsables de l'*ordre* intérieur au Canada ». L'administration de La Presse intervient fermement pour répondre à une visée précise de Lemelin, celle-là même qui préoccupe toutes les autorités : que soit rétabli et maintenu l'*ordre*. Hubert Aquin est congédié. Au cours de son passage à La Presse plus qu'à nul autre moment de sa vie, il aura goûté aux « plaisirs » d'être gouverné : gardé à vue, prêché, contrôlé, condamné, sacrifié.

L'ordre social destine à l'asile ou au suicide celui qui, parce qu'il l'étonne, pourrait le renverser. Trouvé au volant d'une voiture volée et en possession d'un revolver chargé, Hubert Aquin déclare au moment de son arrestation en 1964 être un révolutionnaire ; il se voit bientôt interné dans l'aile à sécurité maximum de l'Institut psychiatrique Albert-Prévost. Le signataire de la lettre explosive du 3 août 1976 qui dénonce l'action destructrice de La Presse sur la culture québécoise est un révolutionnaire dont on trouve bientôt le cadavre ; le corps sans cerveau qui gît dans une allée de Villa Maria est celui de l'ennemi d'un ordre social intéressé à ce que le génie d'Hubert Aquin s'en tint à écrire des romans sans réclamer en même temps la révolution indispensable à l'épanouissement de sa personnalité individuelle et collective. Le coup de feu qui l'a fusillé au même moment a déchargé sa cervelle au visage des contre-révolutionnaires en face desquels Aquin, quand écrire pour en sortir ne suffit plus, arrive à agir en transformant sa condamnation en insurrection.

Aquin est mort suicidé parce qu'il était insupportable : la société ne pouvait plus le supporter lui, ni sa lucidité. Parce qu'il transcendait la mentalité commune, il émerveillait, mais pouvait aussi faire peur, comme le Christ. C'est de se voir exposé par sa faute à la peur qu'il s'applique habituellement à entretenir lui-même en chacun, que l'ordre ne peut pardonner à celui qu'il ne sait pas par quel bout prendre. Il se venge de lui en le traitant de fou puis l'achève dans l'indifférence pour qu'il n'en reste plus rien : *ri-en*. Mais Aquin arrive même à renverser cette mise à mort que se trouve être le calvaire de l'indifférence qu'il doit souffrir à la fin de sa vie : le coup d'éclat qu'est son suicide — une action brusque, violente, contre un ordre de choses établi — équivaut à un coup d'État.

Selon Malraux, le Christ est un anarchiste — le seul — qui a réussi. Pour Aquin, certaines paroles du Crucifié, entre autres celles sur la Montagne, véhiculent l'attitude caractéristique de l'anarchiste : le refus d'être gouverné. Le désir anarchiste de liberté intégrale, c'est-à-dire à la fois personnelle et collective, conduit au soulèvement contre tout état de fait et tout ordre établi. À la suite des attentats felquistes de 1963, Aquin entre dans la clandestinité, prêt à payer de sa vie pour que s'accomplisse la révolution, une révolution dont il entretient Gaston Miron à qui il écrit pendant qu'à la télévision Malraux prononce au téléjournal le mot « liberté ».

L'analyse de la fatigue culturelle du Canada français de mai 1962, sa lettre à Miron d'octobre 1963 et la lettre adressée au *Devoir* en juin 1964 annonçant son entrée dans la clandestinité dessinent ensemble un mouvement spiraloïde qui d'abord transforme les mots d'Aquin en cri puis ce cri en action violente. L'anarchisme d'Aquin a quelque chose de religieux, son action révolutionnaire quelque chose de donquichottesque. La violence foudroyante du terroriste, pas plus que la foi passionnée du mystique, la passion consumante d'un Bakounine, pas plus que l'idéalisme généreux du Quichotte ne peuvent être justifiés par la raison raisonnante. Dans le visage de Malraux qui emplit l'écran de son téléviseur, Hubert Aquin retrouve les traits du chevalier à la Triste Figure. Pour ne pas échouer comme Don Quichotte dans sa propre tentative d'unir l'idéal à la réalité, Aquin comprend qu'il doit tuer ; si le maquis ne l'y a pas conduit, son suicide, lui, est une sorte d'attentat. Poussé vers la mort par une société qui triche, il jettera sa mort à la face des tricheurs comme on lance une bombe : pour tuer. La mort d'Hubert Aquin est la dernière preuve de son besoin de créer, et une illustration fracassante de ce que voulait dire Bakounine quand il affirmait que la passion de détruire est aussi une passion créatrice.

Le mystique Jean de la Croix enseigne à trouver Dieu au fond du rien ; l'anarchiste Hubert Aquin à être encore tout quand on est déjà rien. Il surpasse la mort en faisant peser sur ceux qui l'y ont conduit un silence qui amplifie son cri. Sa mort devient une désapprobation totale du pire qui consiste à être tenu comme rien, et une défense absolue du désir de ne renoncer à rien. En prenant passionnément parti pour la vie sans compromis, Aquin refuse violemment l'invivable : un monde où il nous est accordé d'être à condition de n'être jamais tout à fait. Sa volonté de vivre totalement trouve son expression dernière dans une mort radicale qui est la confirmation brutale de notre état : en allant personnellement jusqu'au bout, il accuse en effet l'impuissance qui nous fait collectivement nous contenter de ne vivre qu'à moitié. Aquin se mesure à la mort et en vient à bout en imprimant à la sienne un tel renversement qu'avec lui mourir devient la preuve d'une inaliénable volonté de vivre. En périssant grandement au moment où tout le voue à vivre petitement, Aquin reste égal à lui-même.

La détonation

À quoi pensait Hubert Aquin en enfonçant le canon dans sa bouche, seul un mort pourrait le dire. En fait, le mort lui-même importe peu ; ce qui compte, c'est la détonation. Pif-paf et pour la tête qui vole en éclats c'en est tout d'un coup fini avec la lente destruction à laquelle s'emploient les pouvoirs à coups de soumission. La sujétion ainsi, du pif au paf, se trouve précipitamment convertie en insurrection. La détonation, avant de répandre sa cervelle, ramasse pour les concentrer en un seul point la vie et la mort d'Aquin, le réel et l'imaginaire, le communicable et l'incommunicable, la construction et la destruction pour que se réalise en ce point précis le projet révolutionnaire radical de l'homme total. Son insoumission qui l'avait poussé en 1964 à descendre *surréalistement* dans la rue, revolver à la ceinture, le conduit en 1977 à presser *anarchistement* sur la gâchette. Quand le déclic du chien fait détoner la cartouche, une révolution éclate où se confirme une manière d'être que rien ne pourra plus défaire et qui se résume en une phrase : « Je suis *tout* ce que je suis. » Être sincère c'est, nous dit Jacques Rivière, courir le danger de l'« intégralité de soi ». Cette profondeur, l'auteur de l'essai intitulé *De la sincérité avec soi-même* la retrouvait chez les personnages dostoïevskiens pour qui vivre simplement ne pouvait suffire à leur volonté de toujours vivre davantage. Le cadavre à la tête éclatée qui repose en mars 1977 sur une dalle de la morgue, impeccablement rasé et cravaté — l'air d'un banquier —, supplée à ses chaussures usées par une mort à sa pointure.

Rivière avait aperçu par quoi un écrivain peut ressembler à un banquier dans le fait où tout de suite et malgré lui, il cherche de tout ce qui lui arrive ce qu'il peut en tirer. Il n'est donc pas étonnant qu'un homme d'argent doublé d'un écrivain (Roger Lemelin) soit parvenu à agir sur l'imagination d'un homme sans argent qui se disait écrivain faute d'être banquier (Hubert Aquin). À la fin de sa courte vie, le monde merveilleux où trônait Lemelin a exercé sur Aquin un enchantement qui l'a rendu dupe d'un piège dans lequel il avait jusque-là évité de tomber en se rebiffant très tôt contre une société octroyant à l'écrivain d'autant plus de talent qu'elle le prive d'importance. Son refus final d'appartenir à une cour qui le réduit (personnellement) au rôle de commis est identique à son refus initial d'un milieu qui le confine (collectivement) dans une fonction : les deux sont un même refus politique. Ce qui finit par jouer contre ce milieu et contre cette cour, c'est le fait qu'Hubert Aquin, au début comme à la fin, ne cesse d'être « générateur de conscience », c'est-à-dire de questionner, de troubler et de renverser.

Pour Rivière, la sincérité envers les autres s'appelle la confession. Le roman *Prochain épisode* en est une. Son treizième chapitre expose la séduction qu'exerce sur un révolutionnaire la somptuosité symbolisée par un buffet et une commode : un buffet à deux corps en « bois de cercueil » où, sur le corps supérieur qui a l'aspect d'un « tabernacle », figure un guerrier brandissant son arme ; et une commode revêtue « liturgiquement » de dalmatiques, sur laquelle se déroule un combat à mort entre deux soldats qui agonisent enlacés. Dans le salon charmeur invitant au repos — le grand salon du château qu'occuperait, semble-t-il, le pseudo-banquier contre-révolutionnaire qu'il pourchasse —, le révolutionnaire épuisé, en quête d'une vie qui « ne doit plus être toujours le même acte répété avec lassitude et fatigue », a peine à ne pas succomber à l'enchantement d'un univers qui ne lui a jamais été accessible. Dans ce salon digne d'un millionnaire, l'exaltation révolutionnaire risque, comme l'*Histoire de Jules César* reliée en peau de chagrin reposant sur la commode, de finir elle-même en peau de chagrin. Les boucles de l'ex-libris que porte en page de garde *le livre* racontant les combats de César rappellent les courbes du guerrier qui s'élance (le buffet) et des soldats enlacés (la commode) que renferme *le château*. L'énigme du premier se confond avec le mystère du second et une même clé donne accès à l'une et à l'autre : la guerre y est — dans le livre relié avec art et dans le bon goût du château — *ornementale*.

Pour ne pas s'abandonner au cirque de cette splendeur funéraire et pour échapper au collier fatal de la répétition, celui qui combat doit imprimer à ces cercles qui le piègent le mouvement spiraloïde de la révolution, sa fureur : blasphémer contre le corps du buffet à l'allure de tabernacle, rager contre la vie réduite à une lassante attente, trouer le premier d'une balle et abattre l'autre : Tuer ! Ce que confesse l'intrus du château, c'est sa peur de ne pas se rendre jusqu'au bout. Ce que craint ce révolutionnaire, c'est de céder à la fatigue, c'est-à-dire de s'éterniser dans un musée où la violence n'est qu'un ornement, en sachant pourtant bien que « nul projet ne résiste à l'obscuration implacable de l'attente ».

La course qui l'a mené dans ce salon qui se manifeste à lui de façon occulte passait par le pont Jean-Jacques Rousseau, l'auteur des *Confessions*. Dans son roman *La Peau de chagrin*, Balzac fait séjourner Raphaël, aux prises lui aussi avec des forces occultes, dans un hôtel jadis fréquenté par le même Rousseau. Les héros d'Aquin et de Balzac se confessent tous les deux, tous les deux le font dans la somptuosité d'un salon (celui d'un pseudo-banquier dans un cas et d'un vrai dans l'autre) et avec la même lucidité qui permet d'embrasser en un instant toute la vie. L'univers second du château qui enveloppe le révolutionnaire, la peau de chagrin que revêt le personnage de Balzac et l'identité d'écrivain qu'endosse dorénavant Aquin avec *Prochain épisode* contribuent tous les trois à différer un projet d'annihilation : de l'ennemi ou de soi-même.

La confession de Raphaël et la confession que se trouve être le roman *Prochain épisode* sont le constat d'une impuissance : la vie de Raphaël est une répétition d'échecs financiers et amoureux menant au suicide ; Aquin, qui est écrivain faute d'être banquier ou terroriste, finalement se tue. Raphaël et Aquin sont tous les deux plongés dans un monde où il leur est impossible d'harmoniser capital et idéal. Le pouvoir que confèrent la peau de chagrin à Raphaël et la peau d'écrivain à Aquin masque une impuissance qui leur est commune ; il représente la seule forme de richesse accordée à celui qui n'a en réalité aucun accès aux « vrais » pouvoirs économiques et politiques. Raphaël tâche peut-être d'acquérir ce qui est nécessaire aux hommes appelés à manier les affaires ou à diriger un État, et Aquin essaie sans doute de se faire courtier avant de tâter de la politique, ils n'en rêvent pas moins, en songeant tous les deux à Byron, d'être général (Raphaël) ou commandant (Aquin).

Les premiers attentats du Front de libération du Québec redonnent vie à Aquin alors hospitalisé à la suite d'un grave accident d'auto. Il se réclamera désormais d'une position révolutionnaire. Malgré les condamnations des premiers felquistes, il clame son refus d'abdiquer ; à son action politique se substitue le combat clandestin. La lettre du 18 juin 1964 qu'il adresse au *Devoir* où il déclare « la guerre totale à tous les ennemis de l'INDÉPENDANCE du Québec » est signée : Hubert Aquin, Commandant de l'Organisation Spéciale. Un communiqué de l'O.S. annonce bientôt à la presse (le 29 juin) que l'organisation passera à l'action le premier juillet. Que se passe-t-il ce jour-là ? Aquin emménage chez Andrée Yanacopoulo.

Hubert Aquin croit au terrorisme comme on croit au grand amour. Sa vie conjugale finit à l'époque de se désagréger ; sa vie affective, il l'a déjà résumée dans son journal en une formule : « Je tourne toujours de plus en plus vite sur une piste circulaire. » Faute d'être disparu dans l'accident d'auto dont il fut victime à l'époque, Aquin brise le cercle qui l'emprisonne en choisissant une nouvelle compagne, presque une sœur. Yanacopoulo en effet prépare une thèse sur le suicide alors que lui mûrit le sien ; elle dirige une recherche sur la dépression chez les Canadiens français au moment où lui, le « déprimé explosif », cherche à soigner la sienne par la violence. Les grands amours chez Aquin n'ont-ils pas toujours quelque chose d'incestueux, la passion quelque chose de secret ou d'impossible qui tue ?

Le 5 juillet, derrière l'oratoire Saint-Joseph, Hubert Aquin est arrêté au volant d'une voiture volée. Aucune des sept balles ne quitte le canon du revolver qui reste glissé dans sa ceinture. Le révolutionnaire échoue à ajouter aux déflagrations felquistes la moindre détonation et confesse son impuissance en écrivant *Prochain épisode*. Abattu par les événements, Aquin revêt pour s'en sortir la peau d'écrivain comme Raphaël avait, pour se distraire de mourir, acquis la peau de chagrin. Et il le fait au même prix : le cercle de ses jours, figuré par cette peau, pour lui aussi se resserrera suivant la force et le nombre de ses souhaits. Balzac avait doté Raphaël d'assez de génie pour être escorté aussi bien à la cour qu'en prison. La prison pousse Aquin à écrire un roman ; son génie le conduira à la cour de Lemelin où finira de se resserrer le cercle de sa vie.

La démesure

La mort d'Aquin est politique. Il quitte la cour de Lemelin et ses banquets à la manière des petits lords Byron dont parle Balzac, qui « après avoir chiffonné la vie comme une serviette après dîner, n'ont plus rien à faire qu'à incendier leur pays, se brûler la cervelle, conspirer pour la république, ou demander la guerre… » La détonation qui résonne dans les jardins de Villa Maria est celle-là même qui aurait dû se faire entendre sur le terrain de l'oratoire Saint-Joseph treize ans plus tôt. L'écrivain défiguré par la déflagration a le visage christique de l'anarchiste. Son geste répond à qui se demande si le livre vaut le glaive et résout le problème premier d'Aquin : « Tuer ou se faire tuer. »

Depuis l'épisode terroriste de 1964, Aquin n'a jamais vraiment quitté le maquis : dans la clandestinité de son imagination, une révolution sans nom n'a cessé de préparer sa cohérence explosive. Le coup de feu de 1977 est la conclusion logique d'un art ne pouvant souffrir qu'un seul dépassement : l'action. La tête qui vole en éclats le 15 mars de cette année-là est celle de celui qui bien avant avait confessé être « le symbole fracturé de la révolution du Québec ». Est-ce qu'on peut vivre sans tête ? La journée du 15 mars 1977 vaut à elle seule toute une vie.

Dans la dédicace d'un poème dramatique qu'il intitule *La Coupe et les lèvres*, Musset proclame que l'artiste est un soldat qui sort des rangs — ou chef, ou déserteur : l'un incruste un plomb brûlant sur la réalité ; pour l'autre qui lui préfère le théâtre, l'action n'est qu'un moule à sa pensée. Les écrits d'Aquin sont ce moule, sa mort ce plomb. Aquin périt par ce qui fait sa force : une lucidité brûlante, une lucidité à se faire tuer.

Madame de Staël, au début de ses *Réflexions sur le suicide*, affirme que l'ennui des esprit actifs est « l'absence d'intérêt pour tout ce qui nous entoure, combinée avec des facultés qui rendent cet intérêt nécessaire ». Aquin souffre personnellement de notre insignifiance collective ; la fatigue de tous décuple son ennui et lui fait sentir toute la distance entre la vie vide et une vie pleine, un écart dont son insertion violente dans la vie courante par le plomb ou par l'esprit cherche à venir à bout. Aquin préfère l'imagination puis la mort à la vie sans grandeur, au désir insatisfait d'une vie capable de nous occuper tout entier, individuellement et collectivement.

Quand Hubert Aquin prend le maquis, il pose un acte capital, un des quelques qui commandent une vie entière et sur lesquels Byron estimait qu'il était vain de penser qu'on puisse jamais revenir. La personnalité aquinienne est une force destructrice comme la personnalité de Byron, les grands amours aquinien et byronien ont tous les deux quelque chose d'incestueux, même l'amitié chez eux — celle de Byron pour Lord Clare et celle d'Aquin pour Louis-Georges Carrier — paraît hors norme. Byron et Aquin, pour ne pas avoir à vivre dans un monde fini ou à mourir pour en finir avec lui, s'élancent au-dessus (par l'imagination) ou plongent au-dessous (dans le crime). En niant ainsi le monde, ils nous en révèlent l'insuffisance. L'ennui aquinien et la mélancolie byronienne rendent vital leur besoin commun d'une accélération salvatrice, d'une frénésie qu'ils ne réussissent à obtenir que hors de la vie courante ou hors de la loi. Charles Du Bos affirme dans son portrait de Byron que le besoin d'un *grand revers* est « inhérent à qui porte en soi le besoin de la fatalité ». Le revers fatal dont il est victime à La Presse, Aquin le renverse totalement par une mort violente dont le plomb lui troue bien le crâne, mais pour s'incruster dans la réalité et convertir aussitôt son exécution en attentat.

L'imagination d'Aquin a fini de dépenser ses liquidités ; sa mort a épuisé tout ce qui, depuis le maquis jusqu'au moment fatal de son suicide, était resté déposé en réserve dans sa conscience. Son destin confirme rigoureusement ce que Jankélévitch dans son ouvrage sur *La Mort* propose comme définition de la « situation tragiquement tragique » : la coïncidence du nécessaire et de l'impossible, qui a pris pour Aquin la forme d'une vie pleine dans un monde vide.

Chapitre 2

Le roman total

Le champ de bataille

EN COMMETTANT DES VOLS pour s'emparer d'armes et d'argent, l'Armée de libération du Québec vise à donner à son organisation des moyens pour précipiter le cours des événements. Hubert Aquin prend le maquis dans le même but. Son arrestation ne met pas fin à son élan terroriste ; elle entraîne un déplacement vers le langage où la violence frustrée dans sa réalisation vient retentir au moins symboliquement (dans le roman) en attendant d'éclater enfin concrètement (dans un attentat). Ce qu'il n'a pu arracher à la fortune des banques par les armes, Hubert Aquin va chercher à le tirer du trésor de son imagination en braquant sa conscience comme une banque. Quand les mots en auront vidé les coffres, un vrai crime pourra enfin s'accomplir.

Avant de (se) tuer, Aquin attente au langage qu'il veut, par enrichissement, faire éclater ; il donne à son écriture des allures de révolution. Il se garde de ce que l'art a de plus faible, de tout ce qui l'expose à la récupération, en maniant l'écriture de la même façon que le suicide, c'est-à-dire comme une arme pour pointer l'intolérable que représente la mort lente à laquelle nous condamne une vie sans calibre. En mettant ainsi en joue ce qui nous nie, l'écriture foudroyante d'Aquin se révèle être l'image positive de sa violence dont la foudre terroriste et la mort éclair sont l'épreuve négative. La violence aquinienne est la manifestation radicale d'une volonté de *vivre sans réserve* (pas même celle de mourir) qui fait d'Hubert Aquin au regard de la vie courante un irrécupérable. C'est parce que son âme rêve de vraie grandeur que la société finira par le menotter, puis le suicider.

Hubert Aquin veut que se substitue à la vie qui nous est donnée comme suffisante une vie riche dont il réclame la possession *immédiate*. Le terroriste déchu reste meurtrièrement fidèle à lui-même : de sa cellule, il fabrique une bombe à retardement — son roman, seule clé de sa prison — qu'il dote d'un mécanisme parfait, digne du travail d'un horloger suisse du Jura. Il interrompt le temps mort de sa réclusion en y insinuant le tic-tac de son combat.

À l'époque où il étudiait la philosophie, Aquin était préoccupé par le devoir de sincérité qui conduit de soi aux autres avec l'élargissement de la conscience. Ce qu'on appelait alors la dialectique de la sincérité se trouvait être rattachée à la dialectique blondélienne de l'action pour laquelle tout agir semble impliquer une « initiative automobile », une sorte de démarrage qui, une fois effectué, oblige l'être mis en train à une attention qui accélère ou ralentit son élan selon les tournants et les dangers de la route. L'action terroriste freinée par son arrestation retrouve avec la fiction sa frénésie symbolisée dans *Prochain épisode* par la vitesse automobile. En se précipitant dans les rues de Lausanne et sur les routes suisses qu'il retrace dans sa mémoire pour écrire son roman, Aquin franchit par l'intérieur l'espace clos de sa prison pour reprendre son action là où on l'a interrompu, c'est-à-dire au volant d'une automobile.

Aquin reprend dans le roman la « stratégie préci-
pitée » qui a déterminé son action révolutionnaire. En
politique, au combat, en art, il redoute la lenteur ; pour
lui, l'efficacité commande la mobilité et la rapidité. Il
attaque *Prochain épisode* comme on appuie sur l'accélé-
rateur. Privé d'une seule révolution, il en fait accomplir
des milliers à la minute au moteur d'une Volvo lancée à
tombeau ouvert dans le roman. Aquin écrit comme il
aurait aimé que les Patriotes se battent : avec furie et hors
des canons, comme on dit hors la loi. *Prochain épisode*
était imprévisible comme l'était la victoire patriote à
Saint-Denis. Aquin partage d'ailleurs avec ceux qui y ont
combattu le même vertige et la même violence, mais il se
distingue d'eux qui étaient à ses yeux conditionnés à la
défaite, par un autre conditionnement, celui-là au suicide, qui ne l'oblige pas lui, contrairement à eux après
leur seule victoire, à survivre aux échecs sans honneur et
sans même l'espoir d'en finir un jour.

Pour ne pas, à la suite de son arrestation, succomber
à une neurasthénie égale à cette « passivité du vaincu »
dont il voyait affligés les Patriotes, Hubert Aquin, de sa
prison, reprend l'initiative. Il y pratique tactiquement ce
qui aurait convenu à la situation de 1837 : la « petite
guerre ». En effet, l'écriture de *Prochain épisode* est une
sorte de guérilla au sens où l'entendait Aquin, c'est-à-
dire la manifestation déroutante du vouloir-vivre du
combattant qui manque d'armement. Si les Patriotes sont
allés jusqu'au bout de leur être-pour-la-défaite, lui
désire par-dessus tout aller jusqu'au bout de son être-
pour-la-victoire et refuse de se soustraire à la logique du
combat révolutionnaire qui est « la victoire ou la mort ».

Prochain épisode ressemble à la victoire des
Patriotes à Saint-Denis telle que la voyait Aquin, c'est
une réussite qui frise la perfection et ne laisse à son
auteur d'autre choix que de continuer à tout prix. Il pour-

suivra donc en utilisant dans ses romans la surprise, la ruse et le stratagème, c'est-à-dire l'équivalent des tactiques terroristes et des méthodes révolutionnaires des figures dominantes de l'invasion de 1838 qui se distinguent selon lui des Patriotes de 1837 par un coefficient de passivité nul et la nette politisation de leur lutte armée.

L'apocalypse

Dans le « Calcul différentiel de la contre-révolution » auquel s'applique Aquin, la donnée révolutionnaire du Québec apparaît affectée d'un coefficient d'« échec optimum » (ou de passivité) que contredit un coefficient de « virtualité menaçante » (ou d'action) dont le *point alpha* correspond à l'époque où le F.L.Q. fonctionnait *à plein*. L'analyse de la fatigue culturelle du Canada français où Aquin se montre armé d'une dangereuse faculté critique, son « oui oui oui oui oui » à la révolution qui éclate dans la lettre à Miron tel un tir de mitraillette, son entrée soudaine dans la clandestinité comme s'il s'abandonnait à la *furia francese* qui fit défaut aux Patriotes et le rebondissement dans un roman-guérilla de son action terroriste constituent ensemble le *point alpha* d'une violence et d'une puissance dont Hubert Aquin n'atteint le point oméga qu'en mourant. Le style eschatologique des dernières pages de *Neige noire*, la lettre dévastatrice à Lemelin, la lettre faire-part à Favreau citant une parole de saint Paul sur la fin du monde et la fin foudroyante d'Hubert Aquin sont les bornes du *point oméga* d'un combat aux airs d'apocalypse.

La révolution d'Aquin commence par les mots « Je reviendrai... » qui coiffent dans la revue *Québec libre* l'annonce de son choix de combattre clandestinement les contre-révolutionnaires. Elle se termine par le mot de Schelling qu'il met en exergue au roman inachevé *Obombre* : « Le commencement n'est le commencement qu'à la fin. » Le combat d'Hubert Aquin se confond ainsi avec l'*Apocalypse* de saint Jean dont l'ultime chapitre qui a pour titre « Je viens bientôt » contient les versets suivants : « Je suis l'Alpha et l'Oméga, / le Premier et le Dernier, / le commencement et la fin. »

La page sur laquelle se clôt le dernier roman d'Aquin est apocalyptique : « Enfuyons-nous vers notre seule patrie ! Que la vie plénifiante [...] continue éternellement vers le point oméga que l'on n'atteint qu'en mourant et en perdant toute identité, pour renaître et vivre dans le Christ de la Révélation. » L'étreinte d'Éva et Linda dans *Neige noire* conduit au mot fin comme l'étreinte totalisante chez Teilhard de Chardin qui permet au Christ d'atteindre sa pleine croissance engage l'humanité dans la mort totale.

Aquin a trouvé une issue dans l'écriture de romans parce que l'art véritable est aussi intransigeant que la révolution ou que le Christ. L'art, comme eux, exige de celui qui s'engage TOUT SINON RIEN. *Prochain épisode* porte en épigraphe une parole de Musset à propos de qui Flaubert eut un jour ce mot : « On ne vit pas sans religion. » Du Bos qui cite Flaubert dans *Approximations* ne le voit croire lui-même à l'art que si celui-ci « lui pose des exigences aussi sévères que la plus stricte des religions » au cœur de laquelle règnerait en outre « le mysticisme le plus ardent ». Emma Bovary brûle son bouquet et rêve de lacs suisses ; Hubert Aquin enflamme Cuba au milieu du lac Léman. À la formule célèbre de Flaubert (« Bovary, c'est moi. »), Aquin ainsi répond : « La révolution, c'est moi. »

Une espèce de rage permanente soutient Flaubert et Aquin et leur fait rêver à tous les deux d'une œuvre impossible. Le second choisit de placer en exergue d'un ouvrage qu'il projette les mots utilisés par le premier dans certaines lettres : *Solus ad solum* (Le seul au seul). Il rapproche également son projet *Saga segretta* du livre total auquel songeait Mallarmé. Le livre sur rien de Flaubert, la disparition suprême de Mallarmé, la saga secrète d'Aquin ont tous quelque chose d'une entreprise sacrificielle. Flaubert, dans la lettre fameuse du 16 janvier 1852 à Louise Colet, se pose du point de vue de l'Art *pur* quand il dit vouloir écrire un livre sur *rien* et croire (en songeant à Byron) que l'avenir de *tout* — de l'art comme des gouvernements — est dans cette sorte d'affranchissement où la forme même « quitte toute liturgie, toute règle, toute mesure ». Mallarmé, dans la lettre du 14 mai 1867 à Henri Cazalis, se réjouit, lui, d'être parfaitement mort, réduit à néant après une sorte d'agonie qui a conduit sa pensée à une Conception *pure* où *tout* (l'Univers) retrouve en ce *rien* (qui fut moi) son identité ; un développement dont le livre total auquel il rêve devrait être l'image. Aquin rejoint Flaubert et Mallarmé par le biais de Schelling qu'il choisit de citer en épigraphe d'*Obombre* ; chez Schelling, en effet, la Divinité *pure* n'est *rien* et en même temps elle est le *tout*. Pour Hubert Aquin, l'œuvre à faire est une œuvre d'art, certes, mais elle est encore politique. Son projet de livre secret (son propre livre impossible) est contemporain d'un projet de film sur l'histoire de l'anarchie pour lequel il relit *Lorenzaccio* de Musset, l'histoire d'un homme qui n'est plus *rien* (une ombre) et qui est *tout* (la patrie).

L'année même où se manifeste une résurgence du terrorisme felquiste avec les événements d'Octobre 1970 qui serviront de prétexte au Premier ministre Trudeau pour décréter au Québec la Loi des mesures de guerre, Hubert Aquin esquisse donc un projet qui, parce qu'il doit le conduire à produire un livre « secret », le fait renouer sous une autre forme avec la clandestinité où l'avaient conduit dans les années 1960 les premiers attentats du même F.L.Q. et son analyse de la fatigue culturelle du Canada français en réponse à la rhétorique déjà dominatrice du même Trudeau. Celui qui en 1970, avant même la Crise d'octobre, cherche, comme le fait un courtier avec les valeurs en Bourse, divers moyens de valoriser le tirage limité de *Saga segretta* (destiné aux seuls souscripteurs), est un écrivain qui affirme avoir le droit de vivre de sa production et qui, pour y arriver, décide de poser un acte qui a « quelque chose d'une provocation ». Il ressemble au révolutionnaire qui décide qu'il a le droit de vivre pleinement et qui choisit, pour que cela finisse par se produire, de combattre clandestinement. Celui qui au moment même et après la Crise développe désormais son plan de saga secrète en précisant qu'elle doit être en soi une « contestation globaliste et violente mais voilée (ou voilante) de notre société », est un écrivain qui, par ce livre qu'il souhaite écrire à toute vapeur et achever sur un suicide, cherche à conférer à son existence épuisée une signification. Il est l'égal de lui-même prenant le maquis en 1964 pour abattre une interminable lassitude par l'élan foudroyant du terrorisme.

Du livre secret, comme hier de son entrée dans la clandestinité, Aquin cherche à faire un événement. Le projet inaccompli d'une action clandestine l'a conduit à écrire *Prochain épisode*, le projet irréalisé de livre secret trouve un exutoire dans *Neige noire*. Le dernier roman d'Aquin est une version voilée du premier ; les deux, une contestation globaliste et violente de notre société. Hubert Aquin met en joue la société qui triche ; il le fait au su et à la vue de tous dans un premier épisode puis, couvrant cette société d'un voile qui lui donne l'apparence d'Hamlet, il l'abat dans l'ombre au cours du dernier. Aquin assassine Hamlet et nous tue. Il tue tout ce qui en nous hésite à être. *Neige noire* est l'épreuve négative de *Prochain épisode*. Un cliché de la tête de l'auteur apparaît d'ailleurs en quatrième de couverture. Au premier plan sur ce cliché, l'index et le pouce de sa main forment un cercle : des premiers attentats felquistes de mars 1963 à la Crise d'octobre 1970, de la fatigue culturelle à la Loi des mesures de guerre, d'un grave accident d'auto (1963) à l'autre (1971), tout tourne en rond, rien ne change. Sur le terrorisme, la guerre et la course folle, un cercle se referme.

Le projet de récit à ellipses où le mène l'idée de composer son livre secret dans une perspective astronomorphe d'après l'esthétique des calculs de Copernic, de Galilée et de Kepler, a quelque chose de l'ambition mallarméenne de voir « tout » l'univers retrouver son identité en un « rien » qui pour Mallarmé était *son moi réduit à néant* et qui serait pour Aquin *son moi révélé par un roman*, un roman possédant ce pouvoir (déjà reconnu à *Ulysse* de Joyce) de contenir « tout » dans presque « rien » (l'univers de l'*Odyssée* dans une seule journée à Dublin). Son ambition cosmique rapproche une fois encore Aquin du héros de Balzac, Raphaël, quand à l'agonie celui-ci cherche à se décharger de lui-même en se glissant dans le sanctuaire de la vie comme « ces criminels d'autrefois qui, poursuivis par la justice, étaient sauvés s'ils atteignaient l'ombre d'un autel ». La fin de *Neige noire* n'est d'ailleurs pas différente. Linda et Éva atteignent bien l'ombre d'un autel quand elles imaginent l'eucharistie de Nicolas dévorant Sylvie encore vivante et elles frôlent en s'étreignant « le grand silence dans lequel la vie naît, meurt et renaît à l'échelle cosmique », car le Christ alors se réincarne en Éva qui embrasse Dieu en même temps qu'elle est embrassée par Linda.

L'opus consummatum

Hubert Aquin est un homme crucifié dans un cercle, un romancier qui court après des formes destructrices qui rendront son monde imaginaire semblable au monde faulknérien que résume symboliquement, aux yeux du crucifié qu'il est, l'expression de Borges : « les ruines circulaires ». L'œuvre fougueuse d'Aquin est un cercle destructeur dont il ne peut sortir sans retomber dans le cercle réducteur d'une vie qui ennuie. L'exaltation qu'il cherche n'est pas du côté de cette vie mais dans l'œuvre, dans la complexité dynamique d'une œuvre que l'esprit du baroque aide à comprendre.

Le baroque est telle une spire mouvante qui n'a de cesse et de s'éloigner et de se rapprocher. Eugenio d'Ors qui l'a étudié toute sa vie, en résume ainsi l'esprit : *le baroque ne sait pas ce qu'il veut.* Comme Hamlet alors ! Oui, mais différemment. Celui-ci montre qu'il ne sait pas ce qu'il veut, celui-là n'en a que l'air. Aquin assassine Hamlet qui hésite entre ci *ou* ça au moyen d'une esthétique qui désire ceci *et* cela à la fois. L'esthétique aquinienne est baroque par cette tendance à la multipolarité dont parle d'Ors en donnant comme exemple le monde moral du roman russe, le système cosmographique de Kepler, la théorie de la relativité, le clair-obscur rembrandtesque. En lisant d'Ors, on comprend qu'Aquin lui-même est un être baroque par sa propension à ce qui est théâtral, sa canonisation du mouvement et son désir faustien de totalité. Entre le désordre baroque et la désagrégation intérieure de *celui qui se tourmente soi-même*, d'Ors n'a pas manqué de souligner le lien. Le moi d'Aquin est conforme à son esthétique, il désire ceci et cela à la fois : le vertige du banquier et celui de l'anarchiste, ceux du romancier et du terroriste, du coureur automobile et du révolutionnaire — somme toute : le coup d'éclat *et* le coup d'État. Le baroque, constate d'Ors, domine quand l'humanité faiblit ; celui d'Aquin pallie une fatigue. Le roman va ici au-delà de ses fins narratives — biographique ou fictionnelle —, il cherche à tonifier par l'obsession formelle et ses excès une personnalité (Hubert Aquin) et une communauté (le Québec) qui menacent de (ou d'en) finir.

Pour Eugenio d'Ors, le baroque a un sens cosmique, il soulève les questions du commencement et de la fin, d'alpha et d'oméga ; pour lui, l'*Apocalypse* de l'évangéliste Jean marque l'entrée du baroque dans la littérature universelle. De son effort de définition émerge une similitude entre le baroque et le Christ : tous les deux participent de l'éternité et, sans contredire celle-ci, viennent pourtant aussi s'inscrire dans le temps. Le caractère à la fois éternel et temporel du baroque saute aux yeux quand on constate la parenté d'esprit de produits apparemment si éloignés les uns des autres, mais tous aussi mystifiants, que la philosophie de Giambattista Vico, l'art de la fugue en musique, la tauromachie andalouse et le roman *Feu pâle* de Vladimir Nabokov.

Pour commencer à écrire (et pour arriver à vivre), Hubert Aquin a besoin d'une forme provocante qui lui permet d'espérer *faire un malheur* et donne dès à présent au roman à venir (ou à la vie) des allures de révolution, du genre de celles où l'échec condamne à être abattu. Alors qu'il se prépare, après les récits *Les Rédempteurs* et *L'Invention de la mort*, à écrire un premier vrai roman, des idées notées brièvement dans son journal en avril-mai 1961 sur les anciens sacrifices, la « culpabilité noire », l'expérience cinématographique et la fuite extatique, préludent déjà à son dernier (*Neige noire*).

Au moment où (en juillet-août 1962) s'impose comme une solution à sa vie le choix de la clandestinité (de l'exil ou de la révolution armée), il réussit enfin à fixer la première de ces formes obsédantes et fatales qui se succéderont chez lui pour *donner une valeur* au roman à faire. Cette forme destinée à une œuvre qu'il a plus tôt pressentie comme le point alpha d'une genèse de lui-même et même pensé débuter par les mots « Au commencement… », est celle d'une édition d'un document historique inédit, doublé d'un commentaire, où la vie d'un homme (un chef patriote hésitant et dépassé par les événements, qui plutôt que de s'exiler au moment de l'insurrection armée de 1837 aurait mieux fait de se suicider) est multipliée par celle d'un autre (un narrateur contemporain qui tente maintenant de le comprendre). Dans ce projet de récit à propos duquel Aquin dit dans son journal le 6 août 1962 « il est plus moi que moi-même », le roman prend l'aspect d'un journal inédit, presque d'une confession, que redouble l'étude savante d'un historien, le doublet formé du document et du commentaire se trouvant lui-même redoublé par celui que composent ensemble l'échec du patriote, d'une part et, d'autre part, l'angoisse intellectuelle du commentateur devant l'échec à commenter.

En octobre, Hubert Aquin découvre *Pale Fire* (Feu pâle) qui vient de paraître et constate la similarité qui existe entre la forme qu'il a imaginée et la composition du roman de Nabokov qui se présente comme l'édition d'un manuscrit inédit d'un poète (mort abattu) par un professeur qui accompagne le poème en question de gloses et de commentaires érudits. Aquin pense alors à une démarche qui serait l'inverse de ce que lui semble être celle du romancier américain d'origine russe : au lieu de dissimuler sa construction derrière des formes apparemment indépendantes dont le roman, en multipliant les correspondances, révélera l'unicité, annoncer plutôt l'unicité de la structure puis en dévoiler les incohérences pour aboutir finalement à la « destruction pure et simple » du roman.

« Quiconque dont l'esprit est assez fier pour ne pas se développer suivant un schéma invariable, a, en secret, une bombe derrière la tête. » L'art de Nabokov est une confirmation de sa propre définition de l'art de la littérature. Ses romans tombent sur la cité du bon sens comme des bombes, ceux d'Aquin également.

La forme des formes

Aux yeux de Nabokov qui en a étudié la structure, le fameux chapitre des comices dans *Madame Bovary* connaît son apothéose dans le compte rendu, sous forme d'article de journal, de la fête et de son banquet. L'épisode central de *La Peau de chagrin* de Balzac est également un compte rendu, sous forme de confession celui-là, auquel un banquier fournit un décor. Les comices chantant la prospérité économique et le festin célébrant la richesse d'un banquier nous font pressentir que dans les rapports de Rodolphe et Emma ainsi que dans ceux de Raphaël et Fœdora, où l'argent et l'amour s'entremêlent, le capital prévaut. La cause de l'horrible état où se trouvent Emma Bovary et Raphaël Valentin, même s'ils souffrent tous les deux d'amour, vient avant tout du manque d'argent. Emma et Raphaël se débattent l'une comme l'autre contre une vie dont l'étalon est monétaire. Le suicide impatient de la première (sa ruine fatale) et le long suicide du second (sa fortune funeste) sont un même genre de mort. Si la fin d'Emma est précédée d'un vol de corneilles, l'agonie de Raphaël s'accompagne de cette aversion profonde ressentie contre la société que symbolise chez le jeune Aquin la haine du corbeau.

Sur les univers romanesques de Balzac et de Flaubert si révélateurs pour l'intelligence d'Aquin, le « cercle fermé » d'*Ulysse* (ses reprises, réitérations, reformulations et leitmotive) finit par l'emporter. Pour Aquin, Joyce est une sorte de hors-la-loi comme lui et le roman joycien composé contre toutes les lois du genre, une « bombe à retardement » comme son propre roman. Il y a pour ainsi dire un terrorisme joycien, violent et anarchique, qui fascine Aquin : sa « façon révolution-naire de voir la réalité et, du même coup, de la détruire avec une sorte d'efficacité redoutable » pour ensuite la recréer d'une façon étonnamment intense et singulière. Dans ses « Considérations sur la forme romanesque d'*Ulysse*, de James Joyce », Aquin trafique, mais sans le trahir, un aveu de Flaubert qu'il qualifie de typiquement joycien : « L'auteur, dans son œuvre, doit être comme Dieu dans l'univers, présent partout et visible nulle part... » Hubert Aquin compare la totalisation roma-nesque réussie par Joyce à la somme théologique de saint Thomas d'Aquin. Il rapproche la répétition cyclique dans le roman de Joyce et les *cycles* historiques de la philosophie de Vico, les cycles de Vico et les *ellipses* de la cosmographie de Kepler, elles-mêmes assimi-lables à la poussée en *spirale* de l'évolution chez Teilhard de Chardin où le monde avance vers le haut comme dans la théorie de Vico.

Chez Joyce (dont Brancusi traça le portrait abstrait en dessinant une spirale !), le héros se meut en cercles vicéens (*vicous circles*) qui deviennent vicieux (*vicious*) dans l'œuvre d'Aquin. Dans l'univers joycien, la rue Vico tourne et tourne jusqu'à ce qu'elle se rencontre elle-même ; chez Aquin, le commencement n'est le commen-cement qu'à la fin. Une promenade dans le récit joycien devient une course dans un roman d'Aquin. L'apoca-lypse active chez lui est le pendant de l'apocalypse passive chez l'autre. Les deux fins du monde, aquinienne et joycienne, prennent d'ailleurs le même visage, celui du Christ : du Christ de la révélation à la dernière page de *Neige noire* et d'un Christ révélateur dans la deuxième moitié d'*Ulysse*. En reprenant une remarque du critique Harry Levin au sujet de l'univers de Joyce pour l'appliquer également à celui d'Aquin, on dira que dans l'un et l'autre l'arrière-plan cosmique (le Christ dans les deux cas) et le premier plan domestique (Dublin ou le Québec) forment un décor allant « d'un extrême microscopique à un extrême télescopique ».

L'introït qui souligne dans *Ulysse* l'entrée de Mulligan officiant à une parodie du saint sacrement au haut d'une tour qualifiée d'omphalos et l'introcision exécutée au bord d'un précipice par Nicolas qui immole Sylvie dans *Neige noire*, mange la chair et boit le sang de sa victime dont il a souligné par une entaille l'omphalos (le nombril), le rasoir de Mulligan d'une part et la lame de Nicolas d'autre part, les dissections auxquelles le premier fait allusion et la vivisection à laquelle s'applique le second, cela et bien d'autres choses nous montrent Hubert Aquin se mesurant à James Joyce. Dans le roman *Neige noire*, l'ombre de Shakespeare dissimule Joyce et la figure d'Ulysse est recouverte du masque d'Hamlet.

Le sang dans *Neige noire* a la même valeur que l'âme dans *Ulysse* ou encore le vin dans la théologie chrétienne ; il est « la forme des formes ». Dans *Qu'est-ce que la littérature ?*, Sartre s'interrogeant sur ce qu'est écrire en arrive rapidement à parler de la manière d'écrire et se sert de l'exemple de la messe pour illustrer son propos : « L'étiquette de la messe, dit-il, n'est pas la foi, elle y dispose ; l'harmonie des mots, leur beauté, l'équilibre des phrases *disposent* les passions du lecteur sans qu'il y prenne garde, les ordonnent comme la messe. » La foi d'Hubert Aquin c'est la révolution ; il la célèbre dans ses récits ouvertement ou secrètement pour y disposer le lecteur qu'il appelle à s'engager concrètement et qu'il engage déjà en lui donnant à lire ses romans. Au mouvement d'horlogerie de la messe dans *Ulysse* répond l'anarchie des attaques destructrices de l'épilepsie dans *L'Antiphonaire* sur la couverture duquel Aquin fait figurer le rouage d'une horloge et le mouvement d'une montre tirés d'une même *Histoire de la mesure du temps*.

Nabokov en analysant *Madame Bovary* en fonction des structures, met en lumière la méthode du contrepoint de Flaubert qu'illustre mieux que tout autre le chapitre contrapuntique des comices qui eut sur Joyce, souligne-t-il, une énorme influence. Le sacrifice de la messe dans *Ulysse* et le film révélateur d'un sacrifice dans *Neige noire* servent respectivement de contrepoint : un contrepoint où le verbe (Christ) se fait chair (Bloom) dans un cas et où la chair (Sylvie) se fait verbe (Scénario) dans l'autre. L'étreinte cannibale de Nicolas et Sylvie redoublée par l'étreinte dévorante d'Éva et de Linda, en réalisant cette forme cosmique qu'est le Christ, marque, comme Bloom-Christ dans *Ulysse*, la Fin du Monde. L'épiphanie dernière dans le roman de James Joyce est la manifestation apocalyptique de Dieu lui-même qui apparaît également dans la dernière page du dernier roman d'Hubert Aquin.

En s'inspirant de l'apport de Joyce à la théorie des formes littéraires, dont la tripartition rappelle à Umberto Eco celle proposée par Schelling, on dira que *Prochain épisode* est lyrique, *Trou de mémoire* et *L'Antiphonaire* sont épiques et *Neige noire* dramatique. *Prochain épisode* est un cri, le cri violent de celui qui a dit oui à la révolution. *Trou de mémoire* et *L'Antiphonaire* sont des récits où la vitalité de l'auteur tourbillonne dans la forme. Avec *Neige noire* enfin, l'auteur achève de s'impersonnaliser. Le mystère de la création artistique est alors, nous dit Joyce, accompli : « L'artiste, comme le Dieu de la création, reste à l'intérieur, ou derrière, ou au-delà, ou au-dessus de son œuvre, invisible, subtilisé, hors de l'existence ».

La fin réussie

Aquin fait débuter son roman *Trou de mémoire* par un nom, P. X. Magnant, qui rappelle celui d'une figure symbolique de l'Irlande, J. C. Mangan, dont Joyce célébrait à vingt ans la puissance d'imagination tout en déplorant la résignation du poète à voir sa patrie condamnée au ratage pour l'éternité. À la paralysie de la vie irlandaise dont le patriote résigné est l'illustration s'apparente la paralysie québécoise dont le terroriste Aquin arrêté avant même d'entrer en action devient le symbole.

La révolution d'Aquin a commencé par un *oui* ; le roman révolutionnaire de Joyce prend fin sur le mot *oui*. Dans un texte-témoignage de 1949, le poète Henri Pichette qui voit en l'auteur d'*Ulysse* le « Shakespeare du monde nouveau », prédit ceci : « *Joyce* représente cette première moitié physico-psycho-poétique du siècle sur laquelle chacun de nous qui avons autour de vingt ans en 1950 s'appuiera, afin de battre au pouls de la Planète. » La violence créatrice, l'hermétisme érudit et l'anarchie étymologique d'Hubert Aquin, né en 1929, sont joyciens. La médiévalité, le lien christique et l'inspiration teilhardienne, il les partage avec Pichette, l'auteur de *Point vélique* où à la page 19 « l'Obombre passe ».

Aquin est obsédé par la perfection formelle comme les auteurs de romans policiers rêvent du crime parfait. Lui qui est fou de course automobile et écrivain faute d'être banquier pratique Doyle qui compte parmi les premiers automobilistes et Simenon dont la réussite financière le fascine. Le chef-d'œuvre de Simenon, *La Nuit du carrefour*, évoque le Danemark, la patrie d'Hamlet, et met en scène un personnage qui a un œil de verre comme Aquin à l'époque de *Neige noire*. La ville d'Utrecht évoquée dans *Étude en rouge* de Doyle où apparaît pour la première fois le personnage de Sherlock Holmes, est cette même Utrecht des années 1830 où devait se dérouler la course d'Adriaen dans le roman *Obombre* laissé en plan avec la mort d'Aquin. La vie telle que la voit Holmes, « une longue chaîne dont chaque anneau donne le sens », n'est d'ailleurs pas loin de la vision teilhardienne qui habite Aquin, où la vie se développe telle une spire montante dont chaque tournant accroît le sens.

Au début de leur ouvrage sur le roman policier, Boileau et Narcejac isolent une impulsion fondamentale, celle que représente la peur qui touche au sentiment de notre identité : « On accepte, mystiquement, de n'être rien. Mais ce qui détruit l'être humain, dans une convulsion épileptique, c'est l'intuition *que ce qui est n'est pas*. C'est le oui et le non simultanés. » Voilà pourquoi selon eux la mort brutale infligée volontairement, symbole achevé du passage de l'être au non-être, terrifie et fascine. Boileau-Narcejac affirment que le roman policier en exprimant cette peur en mots, la transforme en un jeu dont l'énigme du Sphinx qu'Œdipe fut appelé à résoudre est la forme archaïque. Chez Aquin, le crime et le roman sont de savantes machinations ; après avoir échoué dans le premier, il s'applique à réussir le deuxième en faisant de son roman une bombe. Quel est le motif de son action ? Le terroriste et le romancier qu'il est à lui seul agissent ensemble pour *que ce qui n'est pas* — la vie pleine ou le livre total — *soit*. Les romans d'Hubert Aquin sont une énigme qui ne fut pas résolue assez promptement pour qu'il n'y ait pas mort d'homme. L'œuvre d'Aquin est : l'objectivation d'une conscience criminelle par la conscience tourmentée de sa victime.

Hubert Aquin ressemble à ces héros de romans policiers américains qui font montre d'individualisme anarchiste. On retrouve chez lui une théâtralité et un hermétisme anarcho-christique. Le Christ est un danger public et un auteur de paraboles ; Aquin est un personnage imprévisible donc inquiétant, qui lui aussi a envie de laisser son public à la porte. Tel un auteur de paraboles, il tente de nous faire apercevoir quelque chose d'inassimilable par la seule raison et qui se présente de façon énigmatique dans son roman : une conscience criminelle suprahumaine, celle de la société. Hubert Aquin s'exerce à une double saisie de cette chose : logiquement, quand il la démasque par l'analyse, comme il l'a fait en dénonçant la rhétorique de Trudeau et l'entreprise anti-québécoise de La Presse ; poétiquement, quand il la recouvre dans le roman d'un voile qui doit nous la laisser deviner. Ses analyses et ses fictions se nourrissent mutuellement ; les premières sont des machines à tuer, les secondes des machines à mourir.

De la même manière qu'ils avaient commencé leur enquête sur *Le Roman policier*, Boileau et Narcejac achèvent le chapitre qu'ils consacrent au roman contemporain sur la question de la peur touchant au sentiment de notre identité. Ils y citent longuement Teilhard de Chardin pour qui l'âme moderne est troublée de se découvrir à la fois enveloppée du dehors par l'ombre immense du Cosmos et envahie du dedans par l'ombre infinie du Temps. L'âme moderne est donc une ombre obombrée, c'est-à-dire couverte d'ombre.

Le spectacle

Nicolas Vanesse dans le crime et Hubert Aquin par la fiction cherchent tous les deux à détruire une hantise. *Neige noire* est un roman policier qui traduit les tumultes de l'âme confrontée à la démesure, à l'immensité (le Cosmos) et à l'éternité (le Temps). La présence de Shakespeare et celle de Dieu font du roman d'Aquin un microcosme ; sa forme cinématographique résulte d'une volonté de maîtriser le temps.

Pour Boileau-Narcejac, les raisonnements de Sherlock Holmes donnent à la lecture des romans de Doyle un tempo semblable à celui du cinéma : « à partir d'un certain nombre de lignes-secondes, comme à partir d'un certain nombre d'images-secondes, se forme en nous une continuité de perception qui modifie subtilement l'objet perçu ». Dans son *James Joyce*, Levin fait remarquer à propos de la structure d'*Ulysse* que le roman, par sa narration et par sa méthode proche du montage, tient du cinéma. *Neige noire* ressemble pour les mêmes raisons au cinéma-roman à la Robbe-Grillet.

Quand Robbe-Grillet nous invite à chercher le véritable contenu du cinéma dans sa forme, il s'accorde tout à fait avec la théoricienne de la littérature Susan Sontag pour qui celui-ci, à la différence du roman, possède un vocabulaire des formes (mouvements de la caméra, découpage, composition des séquences…) qui en fait un art proche de l'art dramatique. Aquin utilise pour donner son tempo à *Neige noire* le jeu dramatique et le vocabulaire cinématographique qui non seulement mettent en forme son récit, mais forment aussi la matière de son roman.

Devant une chose artistiquement accomplie, que ce soit un tissu d'art, une corrida ou un roman, dans l'examen de la forme rien n'échappe de tout ce qui peut toucher au fond. William Huntington, théoricien et auteur de littérature policière, compare le stimulant que vient chercher le lecteur dans le roman policier à la sorte d'activité intellectuelle qu'on trouve en assistant à un match de football. La valeur esthétique du cérémonial sportif a été comprise par Aquin pour qui le football américain représente de la « durée *maîtrisée* » ; à ses yeux, une bonne partie de football exerce sur le spectateur une fascination égale à celle dans laquelle faisait tomber son public la grande tragédie grecque. Dans son essai *Homo ludens*, Johan Huizinga est même allé jusqu'à dire que *dans* la forme et *dans* la fonction du jeu, « la conscience qu'a l'homme d'être intégré dans le cosmos trouve sa première expression ».

Aquin observe le sport en phénoménologue. Il se compare à Van Gogh dont l'art fait accéder à un statut supérieur une chose apparemment indigne (une minable paire de bottes qui sert également d'exemple à Heidegger quand il traite de l'origine de l'œuvre d'art dans *Chemins qui ne mènent nulle part*). Il s'inspire par ailleurs de Teilhard de Chardin pour parler au sujet du sport-spectacle de complexification. La phénoménologie aquinienne nous fait découvrir une parenté entre le sport et la littérature que les gambades sportives de l'imagination créatrice d'Henry James et la comparaison par Umberto Eco d'un James Bond à une partie de football viennent attester.

Les connotations révolutionnaires décelées par Aquin dans le football américain (son rituel explosif, ses jeux mystifiants, ses cheerleaders-agitatrices) sont contrebalancées par son propos sur la valorisation financière du travail du joueur et son calcul en argent. Hubert Aquin oppose le sport-spectacle, l'art-réussite et la littérature mystifiante au sport-flop, à l'art-échec et à la littérature-ennui en nous signalant que *nous sommes le critère désastreusement final de tout ce que nous consommons.* Le sport-spectacle, comme le tableau non-figuratif ou l'art de la mosaïque, favorise une participation du spectateur qu'Hubert Aquin définit comme une attitude « co-créatrice ». Le footballeur John Unitas partage avec les Fangio (course automobile), Fausto Coppi (course cycliste) et Manolete (course de taureaux) le « courage surhumain », l'« intelligence fulgurante », la « stratégie dévorante »... et victorieuse qu'Aquin voudrait nous voir consommer.

La valeur esthétique du sport n'avait pas non plus échappé à Nicolas de Staël dont les tableaux furent pour Aquin un choc. L'art de Staël a éclaté l'année où il a peint ses footballeurs. Aquin découvre ses œuvres sans savoir que leur auteur est un double de lui-même : apocalyptique, violent, avide d'action rapide et explosive. Lui aussi voulait frapper vite, fort et faire de ses possibilités d'artiste une action décisive ; il voyait ses toiles finir au vertige. Nicolas de Staël a accompli son œuvre en peu de temps, d'une manière fulgurante, puis un jour de mi-mars et de la façon brutale dont il provoquait toujours dans son existence ces changements qu'il nommait des *accidents*, il s'est suicidé.

Le goût de l'excès est typiquement ludique. Dans son essai sur la fonction sociale du jeu, Johan Huizinga affirme qu'il n'existe pas de différence formelle entre le jeu et une action sacrée : ce sont des mondes temporaires qui réalisent une perfection au cœur de l'imperfection du monde habituel. Dans le roman et dans la mort, Aquin cherche à accomplir la même chose : une perfection qui n'est pas la vie courante. En étudiant l'expression de la notion de jeu dans la langue, Huizinga constate que dans nombre de dénominations « le point de départ sémantique semble l'idée d'un mouvement rapide ». Hubert Aquin est engagé dans une course, une course contre la vie, contre le cours ordinaire de la vie qui le menace à tout moment. Cette compétition (*agôn*) est un combat (*agônia*) qui entraîne la mort du vaincu. Le sport-spectacle et la littérature mystifiante, le jeu et le sacrifice, le terrorisme et l'autodestruction absorbent totalement et se jouent jusqu'au bout.

Hubert Aquin cherche une perfection à la puissance deux et choisit, pour arriver à l'atteindre, d'inclure le spectacle dans le spectacle : à la forme du roman, il surajoute le plan d'une toile (*Les Ambassadeurs*) ou la scène de théâtre (*Hamlet*). Le romancier enchâsse dans une forme l'ombre secrète de cette forme. La composition préméditée du récit aquinien en fait une sorte de complot pour l'exécution duquel l'auteur s'adjoint des complices (Holbein, Shakespeare) chargés de mystifier le lecteur en l'entraînant au seul endroit où il doit être conduit, c'est-à-dire là même où nous mènent le tableau de Holbein et la pièce de Shakespeare : au seuil de la mort.

Dans *Neige noire*, les repliements intimes du sexe féminin se prêtent à l'introduction d'une lame comme le reploiement vierge d'un livre ancien dont on détruit au coupe-papier l'inviolabilité. Pendant que Nicolas taillade cruellement le corps de Sylvie encore vivante, Aquin exécute Hamlet en renouvelant la pièce de Shakespeare par l'insertion d'une action extrême poussée à bout qui illustre à la perfection l'idée d'Artaud pour qui tout ce qui agit est cruauté. Le sacrifice de Sylvie par Nicolas et la rencontre fatale entre Aquin et Shakespeare se mesurent à l'échelle cosmique ; ils ont quelque chose de mystique. Nicolas et Aquin y embrassent le divin (Sylvie-Eucharistie ou Dieu-Shakespeare) sur le chemin de la mort tandis qu'à la fin de *Neige noire* Éva et Linda en s'étreignant l'embrassent, ce même divin, sur le chemin de l'amour.

L'impossible

Aquin vise la perfection à la nième puissance. Le lecteur de *Neige noire* est le spectateur d'une pièce de théâtre emboîtée dans une production télévisuelle elle-même enchâssée dans une réalisation cinématographique.

Aquin qui recherche sur le plan esthétique à tenir le lecteur sans cesse en mouvement est attaché à l'art cinématographique à qui Theo van Doesburg reconnaissait la capacité de réaliser dans le domaine de la vision l'équivalent du tempo musical. Il est aussi séduit par l'art musical de Bach à qui il emprunte le premier titre du projet qui deviendra *Obombre* : *L'Art de la fugue*. Le dynamisme de l'art architectural de Frank Lloyd Wright finalement l'interpelle ; il le cite en exemple dans ses notes pour un cours sur le baroque.

Le génie rebelle et mystique de l'architecte contemporain de Van Gogh s'est manifesté dans des formes qui projettent les espaces intérieurs et aspirent les espaces extérieurs qui sont ainsi emportés ensemble dans un mouvement dont la spirale (qui projette en montée et aspire en descente) est sans doute l'illustration la plus juste, réalisée d'ailleurs avec brio par Wright dans la forme spiraloïde de la maison construite en 1952 pour son fils et aussi dans la rampe spiralée du musée Guggenheim.

La composition contrapuntique où la forme dominante (horizontale ou verticale) est enrichie d'un contrepoint (vertical ou horizontal) est également une caractéristique de l'œuvre wrightienne. Elle est aussi déterminante dans les compositions de Bach et les romans d'Aquin. Avant même *Prochain épisode*, Hubert Aquin cherchait déjà à découvrir le secret et à maîtriser la forme du contrepoint en quoi on doit voir plus qu'une acquisition faite par la musique au Moyen Âge, plutôt quelque chose qui a marqué l'ensemble des activités de l'esprit médiéval, cet esprit violent, passionné et cher à Aquin, dont la production sous sa forme achevée qu'est la somme adopte l'allure énigmatique d'une sorte de code secret.

L'Art de la fugue qui lui-même est une véritable somme de l'art et de la science de Bach contient, comme l'a fait remarquer le musicologue René Leibowitz, des fugues qui possèdent certaines propriétés « secrètes » qui ne se révèlent qu'aux initiés (inversions, superpositions, etc.). L'art d'Aquin, à la lumière des propos de Leibowitz sur l'art de Bach, nous apparaît se développer du classicisme vertical du contrepoint (multiplicité des superpositions des mêmes éléments) au baroquisme de la fugue (multiplicité des juxtapositions des variations développantes). Avec *Prochain épisode*, un type d'écriture musical (le contrepoint) devient poétique ; avec le projet *Obombre*, la composition poétique promet de tendre à la musique (la fugue). Le titre initial d'*Obombre* rappelle le projet d'Édouard dans *Les Faux-Monnayeurs* de faire en littérature quelque chose qui serait comme *L'Art de la fugue* en musique.

Les superpositions du contrepoint et les juxtapositions de la fugue renforcent la portée émotionnelle de l'œuvre un peu comme le fait au cinéma le redoublement de l'action par la voix *off* commentant la scène. Dans *L'Œuvre parle*, Susan Sontag note que la tendance des milieux d'avant-garde du théâtre et du cinéma des années 1960 à concevoir l'art sous la forme d'un acte de violence s'appuie sur le « théâtre de la cruauté » d'Artaud et le « cinéma de la cruauté » de Clouzot. Le film *Le Corbeau* de Clouzot était apparu au jeune Aquin comme « l'histoire d'une profonde rancune contre la société ». Il écrit dans son compte rendu : « Toute cette pourriture que le corbeau fait monter à la surface des lacs les plus paisibles, j'avoue que c'était un spectacle réjouissant pour mon cœur endurci. Je suis sorti de là assouvi. » Aquin, comme le corbeau, veut frapper de panique la société en dévoilant méthodiquement ses « noirs secrets ». Son art va se confondre avec une agression.

La « société régulière » contre laquelle Hubert Aquin conçoit une haine comparable à celle du corbeau de Clouzot, équivaut à « l'homme social » sur qui Antonin Artaud crachait son mépris. Au public, Artaud et Aquin présentent respectivement des « précipités de rêves » et des « concentrés de vie » où « son goût du crime, ses obsessions érotiques, sa sauvagerie, ses chimères, son sens utopique de la vie et des choses, son cannibalisme même, se débondent, sur un plan non pas supposé et illusoire, mais intérieur ».

La volonté d'Aquin d'éprouver durement le lecteur vise à nous tirer tous d'un état d'anesthésie confortable auquel nous nous abandonnons si facilement vis-à-vis du monde. Quand Aquin choisit sa propre destruction, c'est de la vie rangée qui le menace, lui comme les autres, dont il veut précipiter la ruine. Pour vaincre la médiocrité, il choisit la catastrophe : le terrorisme, l'exil ou le suicide — un acte qui en somme nie absolument la société. Le projet de mort chez lui répond à une soif désespérée de vivre une autre vie. Aquin tue pour ne pas mourir ensorcelé par une fatigue collective qui le cloue à lui-même. La socialisation extrême d'Aquin se mesure paradoxalement aux tentatives excessives de désocialisation de celui pour qui la désocialisation limite est le suicide. Son suicide éclaire notre état ; il apparaît comme le destin tragique d'une force (individuelle) qui se sent faible (collectivement). Aquin réalise l'impossible : dans son pays qui « ne produira jamais rien d'autre que le spectacle exagéré, fatigant de sa fin recommencée », lui, il en finit.

La destruction

Parce qu'une étonnante synthèse entre individu et société s'est réalisée en lui et par son œuvre, Hubert Aquin même mort ne cesse d'agir sur nous. D'outre-tombe, il se présente en accusateur public, à la manière de Chateaubriand écrivant dans ses mémoires : « Dans ce pays fatigué, les plus grands événements ne sont plus que des drames joués pour notre divertissement : ils occupent le spectateur tant que la toile est levée, et, lorsque le rideau tombe, ils ne laissent qu'un vain souvenir. »

Pour forcer le spectateur à monter sur scène, Aquin choisit de déchirer le rideau. Ses tendances anarchiques aboutissent à une œuvre où l'auteur se met en joue pour faire feu sur le lecteur. En s'efforçant de penser contre soi-même, il vise à détruire toute faiblesse en lui pour la détruire en tous ensuite. Perspectives changeantes, temporalité complexe, opacité lexicale, dislocation, discordances, provocation, ellipses, circularité, variations et agitation contribuent à donner à ses récits une atmosphère de fin du monde. Aquin de cette façon se rend maître d'une mort totale paradoxale : l'apocalypse, de fait, revêt dans ses récits une forme vivante, celle d'un désordre parfait et rédempteur en plus, car il exige du lecteur d'user de toutes ses forces. En pensant ainsi la mort et en nous conduisant à la penser fortement, il nous entraîne tous à concevoir la vie. Hubert Aquin lutte contre la vie-hors-de-la-vie. La fatigue qui l'accable et nous tous avec lui est une manifestation de notre faculté collective de sentir notre fin, à laquelle il ajoute cette capacité personnelle qu'il a de comprendre comme il aime conduire, c'est-à-dire dangereusement.

Comprendre pour Aquin a la même signification qu'avait pour Kafka le cogito cartésien. Il s'agit de quelque chose de mauvais que résume l'aphorisme kafkaïen : « Détruis-toi ! Afin de te transformer en celui que tu es. » La société tricheuse où se débat Aquin et le monde faux qui menace Kafka sont l'ennemi ; ils représentent tous les deux un obstacle à la vie pleine sans compromis.

Kafka en arrive à souhaiter que son œuvre soit détruite ; Aquin fait de la sienne une longue destruction. S'il est fasciné par le roman policier, c'est qu'il y devine peut-être un moyen de contrebalancer la charge d'angoisse que fait peser sur chacun une société qui cultive un sentiment d'incertitude et d'impuissance. Les romans d'Aquin sont une œuvre violente qui symbolise la lutte menée par un seul contre l'« ordre » social. Dans l'*Histoire des treize* de Balzac, ce même combat était l'affaire de quelques-uns qui avaient en horreur la vie plate ; *Ferragus*, le premier épisode de l'*Histoire*, a d'ailleurs des allures de roman policier.

Mallarmé qui disait ne compter que sur sa violence, fit de la destruction sa Béatrice. Pour Aquin, les œuvres des grands écrivains sont d'abord et avant tout « des entreprises complexes de destruction [...] génératrices d'une réalité nouvelle et libre ». Lui, même ses conférences il peut les faire au bazooka. « S'il parle, il tire », dirait Sartre. À un colloque de sociologie, Aquin abat son public avec des observations sur notre littérature qui affirment en résumé que « nous sommes les recordmen mondiaux de la platitude ». Que faut-il faire ? Un malheur : faire une révolution ou faire d'énormes droits d'auteur, quelque chose enfin qui accorde à l'écrivain une grandeur et l'affranchit du rôle social presque nul qu'on a coutume de lui attribuer. Hubert Aquin écrit comme on pratique la guérilla : son œuvre est une entreprise complexe de destruction faite de ruses, de stratagèmes, d'imprévisibilité et d'intensité, qui supplée au manque d'autres moyens, d'armes et d'argent, pour générer une réalité nouvelle et libre. C'est une œuvre dont le commencement — un acte de rébellion au cœur duquel il ne cessera d'écrire — rendra possible sa fin explosive. À toute l'œuvre d'Aquin s'applique la parole d'Henry James : « L'art n'est rien s'il n'est pas exemplaire, puisqu'il ne se soucie de rien qui ne soit efficace, ne finit rien qui ne soit consé-quent. »

Aquin admire Joyce dont à ses yeux l'œuvre entière est une « résurrection géniale » de son pays natal. La révolution joycienne s'est attaquée à la culture en faisant éclater ce à travers quoi elle s'exprime avant tout, la langue. La révolution aquinienne bouleverse par sa fougue une culture avant tout fatiguée. Ce qui est important, du point de vue d'Aquin, au sujet d'*Ulysse* de Joyce, c'est « de comprendre que ce roman, dans sa totalité, constitue une façon révolutionnaire de voir la réalité et, du même coup, de la détruire avec une sorte d'efficacité redoutable [...]. En d'autres mots, la charge de destructivité que contient *Ulysse* est étroitement égale et liée à sa capacité d'évocation de la réalité ». L'œuvre d'Aquin est comme le projet joycien tel que résumé par Umberto Eco : une entreprise qui joue « sur la culture dans son ensemble, par une assimilation complète, une destruction critique, une reconstruction radicale ».

Hubert Aquin dans ses romans renverse la réalité réduite qui nous est impartie en lui donnant une portée universelle : il suissise, italianise, norvégise le Québec, il l'africanise, l'européanise, l'américanise, il le déme-sure géographiquement, mais aussi dans le temps, pour remplir sans attendre le vide historique qu'on lui des-tine de l'histoire de toute l'humanité.

Chapitre 3

L'homme total

Œdipe

ŒDIPE EST-IL DE TROP EN CE MONDE ? Son apparente anormalité dénonce en fait la pseudo-normalité de la société. Œdipe n'est pas le seul coupable, il se trouve symboliquement chargé de tous les crimes cachés d'une Thèbes pestiférée. Le châtiment qu'il s'inflige — cécité et exil — équivaut à un suicide parce qu'il nie le monde et à un sacrifice parce qu'il vise aussi à le sauver. Dans sa pièce *Le Choix des armes*, Aquin rapproche Œdipe du Christ rédempteur en faisant d'une grille de mots croisés la croix du nom du roi de Thèbes.

Hubert Aquin, c'est la réunion ambiguë et fatale de deux inconciliables : d'une personnalité sans limites et d'une société limitée. Aquin ne se donne pas la mort, on le suicide. Lui, à l'exemple d'Œdipe se crevant les yeux, se fait éclater la cervelle, rien de plus. Le spectacle de sa fin réussit pourtant à établir une sorte de communion entre lui qui, en deçà de la mort, le produit et nous qui, au delà de sa vie, le consommons, multipliant chaque fois plus ou moins puissamment en nous sa mort à lui.

À la lumière de ce qu'écrit Aquin dans son journal le 25 février 1952, l'histoire d'Hamlet elle-même paraît œdipienne. Elle est une de ces « tragédies extrêmes » dont il sent qu'il pourrait tirer une philosophie du roman où les formes du récit épouseraient un mythe sans cesse répété par tous les écrivains du monde. Même le récit de la mort de l'empereur César s'apparenterait alors à l'histoire du roi Œdipe.

Aquin, pas seulement quand il écrit, mais également dans sa vie, finit par s'abandonner à cette figure d'Œdipe qui devient son « double infini ». L'envoûtement œdipien chez lui vient l'emporter sur la magie collective. Œdipe est comme le peuple de Thèbes, il n'en peut plus de lui-même, mais contrairement à son pays épuisé, lui a toujours la force de riposter aux pièges du sphinx. C'est ce qu'Aquin-Œdipe lui-même arrive à faire en répondant aux artifices machiavéliques de Trudeau et aux leurres capitalistes de Lemelin avec une audace qui déjoue, l'audace de dire les choses impossibles à dire. Œdipe et Aquin répliquent aux sphinx comme on riposte à un égal ; leurs réponses tuent. La charge de destructivité que contient l'acte décisif et meurtrier accompli par Hubert Aquin le 15 mars 1977, est étroitement égale à sa capacité de résoudre l'énigme de notre réalité. Son œil de verre ce jour-là quitte son orbite comme un projectile lancé contre ce qui l'assassine.

La clé du crime qui a eu lieu ici est ailleurs. Là-bas, qui trouve-t-on ? Œdipe éternel incarnant la mort de son futur fantôme Hubert Aquin. La probabilité pour un homme quelconque de trouver le récit de sa propre mort dans la Bibliothèque totale dont parlait Borges est quasi nulle ; pour y arriver, il faut quelque génie. Aquin y parvient et enferme ainsi dans sa fin l'infini et dans la bibliothèque infinie sa vie qui finit. Pour lui, *se connaître*, c'est *connaître* et connaître, c'est par essence une « régression à l'infini ». L'énigme dans laquelle Hubert Aquin achève de se connaître lui-même et de se révéler aux autres, est dans la devinette qu'il avait choisie pour sa pièce *Œdipe*, avant de la recommencer : « Qu'est-ce qui vole, est noir et possède deux pattes ? »

Œdipe s'ouvre les yeux et aussitôt se les crève, par horreur. Être aveugle pour Œdipe ou être décervelé pour Aquin, ce n'est pas, dans un monde pestiféré ou dans une société qui triche, un malheur différent d'être vivant. L'énigme du sphinx qui est en somme la définition de la vie d'un homme, est symbolisée dans le roman *Les Gommes* où Robbe-Grillet a fait de l'histoire d'Œdipe une affaire policière, par la rencontre aléatoire de détritus dans un canal. Aquin-Œdipe éclaire les choses du monde — ordure et pourriture — et il les nomme. Il a la lucidité du corbeau, c'est-à-dire de ce qui vole, est noir, possède deux pattes et ne pense qu'à montrer au monde sa laideur qu'il ignore. Quand Aquin comprend ce qui se passe vraiment dans le monde de Lemelin où parades et dîners fins masquent une entreprise qui débouche sur une destruction culturelle (« Il *n'y a pas* de littérature québécoise »), l'humiliation qu'il ressent d'avoir été dupe du piège de La Presse alors qu'il cherchait à bien faire, n'est pas différente du sentiment d'Œdipe qui souhaiterait n'avoir pas accompli tel acte en voulant faire tel autre.

Hubert Aquin meurt habillé comme un banquier, mais avec aux pieds des souliers remarquablement usés. La réplique d'Œdipe dans l'acte 3 de *La Machine infernale* de Cocteau convient aussi bien à son double : « Apprenez que tout ce qui se classe empeste la mort. Il faut se déclasser [...], sortir du rang. C'est le signe des chefs-d'œuvre et des héros. Un déclassé, voilà ce qui étonne et ce qui règne. » Le roi de Thèbes ne meurt-il pas vagabond ? Œdipe et Aquin poursuivaient une gloire classique — celle des rois — et ont atteint une gloire obscure — celle des mythes —, là où aucune puissance classique n'a le moindre pouvoir qui n'appartient plus qu'aux poètes.

Le combat d'Aquin-Œdipe, c'est la lutte pour la liberté dans un monde qui s'impose à lui sous la forme d'une fatalité. Le destin œdipien vu par Cocteau est « une des plus parfaites machines construites par les dieux infernaux pour l'anéantissement mathématique d'un mortel ». Aucun être humain ne résiste à cette surpuissance à moins de dépasser la mesure ordinaire d'une vie de manière à non plus vivre en ce monde mais à y *sur*-vivre. Hubert Aquin se précipite dans le terrorisme puis dans le roman parce qu'ils sont susceptibles d'excéder la vie comme la spirale surdétermine le cercle. La dixième lettre de Schelling sur le dogmatisme et le criticisme est éclairante. Le philosophe qu'Aquin a choisi de citer en épigraphe d'*Obombre* y écrit : « C'est en laissant ses héros lutter contre la force supérieure du destin que la tragédie grecque reconnaissait la liberté humaine. »

Pour Schelling, l'être sublime est celui chez qui toute passivité a disparu et qui agit en liberté absolue. Seule une personne (ou une communauté) fatiguée succombe à la fatalité et va rejoindre ces victimes du sphinx qui, dans *La Machine infernale* (acte 2), « ne sont autre chose que zéros essuyés sur une ardoise ». Aquin, lui, de la mort même fait une déclaration de son droit à la liberté. Il s'enlève la vie pour convertir la mort que lui inflige le pouvoir réducteur de la société en une façon de se grandir.

Après sa lettre à Lemelin, Hubert Aquin se retrouve comme Œdipe à la fin de l'enquête qu'il a menée pour le salut de son peuple : la passion de la vérité qui les a animés l'un et l'autre a fait d'eux des criminels. Les dieux de l'Olympe (pour Œdipe) et de l'Ordre établi (pour Aquin) les ont chargés des plus horribles souillures : Œdipe parricide et incestueux, Aquin fauteur de trouble et divagateur. Mais le châtiment que le roi et l'archi-écrivain supportent sans l'avoir mérité (celui d'être réduit à rien), parce qu'ils en sont frappés de leurs propres mains (Œdipe s'arrache les yeux et Aquin la cervelle), les hausse au-dessus de la condition commune et confirme leur rupture avec la société.

La réponse à Trudeau et la lettre à Lemelin transmettent un message non seulement sur notre situation, mais sur la condition humaine. Qui le déchiffre prend conscience d'une chose funeste : du projet de mort contre chacun et contre tous tramé par ces dieux de l'ordre dont la rhétorique sonne agréablement à nos oreilles comme un gage de sécurité et de prospérité, mais annonce en fait, tout en le dissimulant, le crime qui va se perpétrer. Une fois rassurés, vivre devient une habitude, le temps s'écoule et emporte notre volonté. Vivants, nous sommes déjà morts et pouvons sentir que nous le sommes quand sous les mots des pouvoirs parvient à nos oreilles tendues ce rire sarcastique : « ùuùuùuùu… rien, rien, rien, tu n'es rien, tu n'es rien et tu ne peux rien, tu ne peux rien, rien, rien… » C'est la peur qui nous tue. Être en vie sans pouvoir affronter le danger, c'est aller au devant de la mort la plus sournoise : l'abandon par commodité et par lâcheté d'une vie autrefois riche d'espoirs infinis. Avec l'analyse qui conduit à la lettre à Lemelin, Aquin résout une énigme. Il comprend qu'il vient en fait de mener une enquête portant sur un assassinat perpétré contre lui-même et que seul un acte surhumain pourrait miraculeusement encore renverser. S'il s'arrache la cervelle de ses propres mains, c'est pour échapper au sort commun et se soustraire au rire des dieux.

Œdipe, pour Sophocle, est pareil au chasseur que sa course pour pister la bête précipite trop loin. Aquin, pour Jacques Ferron, tient d'Hubert, son saint patron chasseur que l'ardeur a entraîné au plus profond de la forêt. Ce que Sophocle avait saisi d'Œdipe, Ferron l'a compris d'Aquin : ce qui, avant Œdipe et Aquin, ne portait pas à conséquence — une vie ou un roman — dorénavant y porte et devient tragique. Pourquoi ? Parce qu'Œdipe et Aquin ont tous les deux dépassé la mesure de leur destinée. De la bouche de ces deux têtes mutilées une même parole s'échappe, celle que Sénèque fait prononcer au héros à la fin de sa tragédie : « J'emporte avec moi tous les germes de mort qui désolent ce pays. »

Hamlet

Vercors qui réfléchit sur Œdipe et Hamlet, écrit : « Si Œdipe est le personnage qui pose tragiquement le problème de la liberté extérieure de l'homme, Hamlet est celui qui pose, non moins tragiquement, le problème de sa liberté intérieure [...]. De même que tout homme, soumis à la fatalité, ressemble à Œdipe, tout homme aussi, devant chaque décision qui engage sa vie, ressemble à Hamlet. »

Hamlet est parricide sans le vouloir, comme Œdipe. En tuant Polonius qui tint jadis dans une pièce le rôle de César, il tue une incarnation du père. Dans *La Machine infernale* de Cocteau, le revenant (père d'Œdipe) doit tellement au spectre shakespearien (père d'Hamlet) qu'on pourrait, en usant de la *Machine* comme d'un instrument pour observer le prince, découvrir qu'Hamlet est Œdipe : pour arriver à se connaître, il n'a comme lui d'autre guide que la mort de son père.

L'Invention de la mort d'Hubert Aquin nous montre le journaliste René Lallemant ressentir en visionnant *La Mort aux trousses* d'Alfred Hitchcock un amusement comparable au sentiment éprouvé par le journaliste du

Quartier latin Hubert Aquin devant le film *Le Corbeau* de
Clouzot qui réjouit son cœur endurci. Le titre original
du film d'Hitchcock, *North by Northwest*, est tiré de
Hamlet : « I am but mad north-north-west » (« Je ne
suis fou que par le vent du nord-nord-ouest »). La scène
où est prononcée cette parole, la deuxième du deuxième
acte de la pièce de Shakespeare, est rappelée au tout
début de *Neige noire* quand, au cours d'une répétition
d'*Hamlet*, Nicolas jouant Fortinbras lit une réplique
d'Horatio où s'est glissée une parole de Rosencrantz :
« Qu'est-ce que vous voulez voir ? Un exemple de transe
et d'horreur ? Un spectacle d'ombres ? L'ombre d'un
spectacle ? L'ombre d'une ombre ? » Dans le texte
shakespearien, c'est en effet Rosencrantz qui dit à propos de l'ambition qu'elle n'est que « l'ombre d'une
ombre ». À quoi répond Hamlet : « En ce cas, nos gueux
sont des corps, et nos monarques et nos héros qui se
gonflent sont les ombres des gueux... »

Hamlet est un gueux ; dans son pays que la mort de
son père a transformé en prison, rien ne lui appartient
plus vraiment que la « machine mortelle » qu'il est. Sa
fatigue a achevé de le déposséder : le livre qu'il a en
main n'est désormais à ses yeux rien d'autre que des
mots, la terre lui apparaît stérile et le ciel pestilentiel.
Le dieu du destin pour Hamlet et le dieu de l'ordre établi
pour Aquin, tout dieux qu'ils sont, engendrent, tel le
dieu-soleil shakespearien, « des vers dans un chien
crevé comme un dieu baiseur de charogne ». Tout sera
en berne dans les pays pourris d'Hamlet et d'Aquin
jusqu'à ce que le père-fantôme trouve un corps en la
personne du fils-gueux pour revenir au foyer autrement
qu'en spectre. Hamlet et Aquin doivent dépasser la
simple ambition d'être pour être réellement et le seul
moyen pour eux d'y parvenir, c'est l'action. Aquin ambi-
tionne d'être terroriste et échoue. Il devient l'ombre

d'une ombre de héros : un romancier. Une fois dépossédé de tout, sans travail et incapable d'écrire, pareil au gueux shakespearien qui n'est plus rien qu'un corps, Hubert Aquin, pour passer à l'action, usera de la seule chose qui lui reste : cette machine mortelle qu'il est.

Dans la pièce de Shakespeare, la tirade qu'Hamlet commande aux comédiens qui lui offrent leurs services, doit montrer le personnage de Pyrrhus l'arme en main, prêt à frapper, mais restant immobile « entre sa volonté et son œuvre », ne faisant rien jusqu'à ce que la fureur vengeresse le ramène à l'action qui surgit tout à coup tel l'éclair. Si un individu dans le but de jouer la comédie arrive à soumettre à sa pensée la machine qu'il est, s'il parvient à harmoniser toute sa personne à une idée pour incarner une fiction, autrement dit pour rien, que ferait-il donc dans la réalité s'il avait les motifs et la douleur d'Aquin-Hamlet ? « Il déchirerait l'oreille du public par d'effrayantes apostrophes, il rendrait fous les coupables, confondrait les ignorants, paralyserait les yeux et les oreilles du spectateur ébahi ! » L'apostrophe d'Hubert Aquin lancée à Roger Lemelin déchire l'oreille ; elle cherche à rendre fous les coupables et à confondre les innocents. L'effroyable éclair du coup de fusil qui lui fait sauter la tête vise à paralyser les yeux et les oreilles du spectateur ébahi. Hubert Aquin armé d'un fusil de chasse se lance à lui-même l'injonction d'Hamlet : « En campagne, ma cervelle ! … » Il agit aux yeux de tous comme souhaitait lui-même le faire son double René Lallemant pour qui seule une expiation théâtrale pouvait redonner à sa vie finissante un certain élan.

La clé du personnage qu'est Aquin est la clé même du personnage d'Hamlet d'après Vercors : une accumulation de cadavres. Hubert Aquin, comme Hamlet aux yeux de Vercors, trouve la volonté nécessaire pour tuer un homme après que se soient accumulés autour de lui un certain nombre de cadavres. Huit ont fallu à Hamlet (Polonius, Ophélie, Rosencrantz, Guildenstern, Gertrude, Laërte, Claudius et enfin lui-même) pour se libérer de l'emprise paralysante de la raison. Une œuvre apocalyptique permettra à Aquin d'y arriver à son tour : il écrit d'abord des récits sur la mort de tous (*Les Rédempteurs*) et la mort de soi (*L'Invention de la mort*), pour terminer avec *Neige noire* sur quelqu'un qui ne meurt pas.

ÉVA

… Au fait, comment meurt-il ce Fortinbras dans la tragédie de Shakespeare ?

NICOLAS

Fortinbras ne meurt pas.

ÉVA

Un autre spectre ?

NICOLAS

Bien pire : quelqu'un qui ne meurt pas. Une obsession…

Hamlet borne les débuts et la fin du romancier Hubert Aquin : du roman psychologico-policier *André Cornélis* de Paul Bourget, auteur marquant pour son maître en philosophie Jacques Lavigne, au roman philosophico-policier *Le Prince noir* d'Iris Murdoch, une œuvre contemporaine de l'écriture de *Neige noire*. Bourget associe dans ses *Essais de psychologie contemporaine* le nom d'Hamlet à ce qu'il appelle la « maladie de la volonté » : celle de l'homme supérieur et paralysé, capable de tout saisir et inhabile à agir. Le presque-journal de René Lallemant qu'est *L'Invention de la mort* et la confession d'André Cornélis dans le roman de Bourget sont tous les deux habités par l'ombre du père : la dernière pensée de René va à son père disparu, la première d'André, à son père mort. Dans *Neige noire*,

Nicolas Vanesse commente à Éva la pièce *Hamlet* présentée à la télévision ; dans *Le Prince noir*, Bradley Pearson donne un cours privé à Julian sur la même pièce et conclut qu'Hamlet est Shakespeare et que le sujet de la pièce est l'identité propre de l'auteur qui est, pour Pearson, les mots.

Shakespeare a écrit une *pièce* sur la mort du père (des pères d'Hamlet, de Fortinbras et d'Ophélie) qui contient une sorte de petite *pièce* écrite par Hamlet illustrant le meurtre de son père et intercalée elle-même dans une *pièce* sur le meurtre d'un duc. *Words, words, words*. La pièce *Hamlet* est une et triple à la fois, le personnage aussi : Hamlet-Hamlet (le fils perpétuel), Hamlet-Ophélie (son double travesti) et Hamlet-Fortinbras (son double inversé) sont les trois visages du même fils dépossédé (Hamlet) dont le père fut assassiné et qui hésite entre mourir (Ophélie) ou tuer (Fortinbras). Aquin avait déjà imaginé pour un roman une démarche à l'inverse de celle de Nabokov dans *Feu pâle*, le dévoilement d'une destruction plutôt que la dissimulation d'une construction ; il récidive avec cette idée d'inversion devant Shakespeare en reproduisant dans *Neige noire* le stratagème de la pièce dans la pièce, mais « à l'envers ». Ce n'est plus comme dans *Hamlet* une insertion du plus petit dans le plus grand qui nous est présentée, mais, comme le dit Aquin lui-même, du plus grand (le scénario) dans le plus petit (le commentaire) : « La pièce dans la pièce s'est métamorphosée en un film inséré dans une étude ininterrompue sur Undersacre » où se trouve le tombeau de Fortinbras.

Hubert Aquin a compris tout comme Hamlet qu'un spectacle théâtral peut être une arme capable de frapper dans l'âme les créatures coupables de forfaits. Lui aussi, il remet le père en scène, mais non pas, comme Hamlet, en faisant jouer à des comédiens un meurtre, en le jouant lui-même plutôt, pour de vrai et dans le même but, c'est-à-dire pour que le véritable meurtrier passe malgré lui aux aveux par la voie miraculeuse du trouble que le spectacle lui aura causé.

Hubert Aquin doit tout à la fois tuer le père (geste œdipien) et le ressusciter (acte hameletien) en se faisant conquérant comme Fortinbras. Son cinéma-roman *Neige noire* redonne à Fortinbras toute sa valeur de contrepoids et répond de cette manière à l'absence aberrante du personnage dans le film de Laurence Olivier vu par Aquin en 1952. Fortinbras en vengeant son père vaincu le surpasse ; victorieux, il devient père de lui-même. Au patriote défait doit succéder le terroriste vainqueur.

Gide note dans son journal en novembre 1943 que « chaque geste décisif de Hamlet est précédé d'une sorte d'essai de ce geste, comme s'il avait d'abord quelque peine, ce geste, à coller avec la *réalité* ». Avant la réussite, ajoute Gide, il y a toujours d'abord un « raté ». Aquin, pour conquérir sa liberté, doit se débarrasser d'images paternelles néfastes (le patriote défait et le père soumis) et racheter son acte terroriste raté. Il doit y arriver autrement que déguisé en Œdipe ou en Hamlet, mais avec la même attitude de dramatisation de soi et la même force destructrice qui caractérise leur représentation au théâtre. Il brigue une puissance équivalente au pouvoir du chef-d'œuvre de fiction, mais dans la réalité, comme si le verbe devait se faire chair pour que la chair qui passe devienne le mot qui jamais ne passera. Aquin y arrive le 15 mars 1977 en cessant de n'être qu'un fantôme (*words, words, words*) pour devenir en un éclair un corps — un corps tel qu'à ses côtés les monarques, machiavels ou crésus, ne sont pas plus que des ombres.

Au prix de sa cervelle, Hubert Aquin, l'ombre de nous tous, prête un corps à une grandeur latente (la sienne) qui, en ce monde des choses telles qu'elles sont, ne saurait s'épanouir ; il donne également un sens à une histoire (la nôtre) qui, en ce même monde, ne signifiera jamais rien. Hubert Aquin est damné comme Hamlet en son royaume pourri et comme Haines dans la deuxième partie d'*Ulysse* qui s'écrie : « Mon enfer et celui de l'Irlande, c'est cette vie. » Ce qui rend infernale la vie pour Aquin, c'est ce qui rend pénible à Schelling la question « To be or not to be » : l'obsession d'être en n'étant pas. Aquin partage le refus de Schelling tel qu'il est exprimé à la fin d'une note à sa huitième lettre sur le dogmatisme et le criticisme, et qui se résume à repousser une existence qui n'est pas une existence mais « la coexistence de l'être et du non-être ». Le cogito hamletien conduit aussi au non-être ; les réflexions d'Hamlet qui n'en finissent pas, repoussent son action et ainsi le privent de tout son être.

La légende primitive d'Amleth victorieux rapportée par Saxo Grammaticus au XIIIe siècle et qui a alimenté l'inspiration shakespearienne, réunissait des éléments appartenant au monde imaginaire des sagas. Quand Hubert Aquin conçoit son projet *Saga segretta*, il entend travailler à partir de sagas islandaises et de Hamlet « décentré ». Le comportement d'Aquin dans la vie a d'ailleurs quelque chose de celui adopté par Amleth dans la saga. Les deux se livrent à des facéties et font le fou : Amleth se roule sur le plancher, imite le chant du coq, adopte une conduite puérile et est enclin à la drôlerie absurde ; Aquin se roule sur le tapis de son bureau à La Presse, y fait le chien ou le lion, joue des tours au téléphone comme un enfant et n'hésite pas à déclarer qu'il est un spécialiste de la farce plate. La « folie » d'Aquin est celle d'Hamlet vue par T. S. Eliot : c'est moins de la folie qu'une forme de soulagement émotionnel, c'est « la bouffonnerie d'une émotion qui ne peut trouver aucun dérivatif dans l'action ». Elle est aussi la folie d'Hamlet telle que l'a comprise Nietzsche pour qui un homme doit avoir beaucoup souffert pour avoir à ce point besoin de faire le bouffon : « *Comprend-on vraiment* Hamlet ?, demande Nietzsche. Ce n'est pas le doute, c'est la *certitude* qui rend fou... »

Pour Eliot, Shakespeare s'est attaqué, avec *Hamlet*, à « un problème qui s'est révélé trop ardu pour lui » ; il a tenté d'exprimer une chose horrible et inexprimable : le « sentiment intense, extatique ou terrible, sans objet ou dépassant son objet ». Aquin ne se contente pas de recommencer *Œdipe*, il décentre *Hamlet*. Lui qui craignait tant une existence sans consistance, comprit-il des choses que Shakespeare lui-même n'a pas comprises ? que Hamlet seul, redoutant de sentir son non-être, devinait peut-être ? La mention de Saxo Grammaticus dans *Neige noire* est l'occasion pour l'auteur d'énumérer des variantes du nom de Hamlet — Amlethus, Ammelhede, Amlaidhe, Amlødi, Amlairh, Hamnet, Hamlett, Anleifr, Hamblet, Amlaigh, Anlaf — qui toutes reprennent l'une ou l'autre des initiales de son propre nom : H et A.

Bloom, dans le deuxième chapitre de la deuxième partie d'*Ulysse*, s'interroge sur Hamlet et en vient à penser que celui-ci était peut-être une femme, ce qui pourrait, croit-il, expliquer le suicide d'Ophélie. Hamlet se suicide par l'intermédiaire de son double féminin, Ophélie, la fille d'un père assassiné, et ne vainc que par son double inversé, Fortinbras, le fils d'un père également assassiné. Hamlet le fou incapable d'agir autrement qu'avec des mots, est le repoussoir de Fortinbras l'écervelé qui agit vraiment et avec violence. Hamlet est une cervelle, son cerveau est un livre et ce livre, que des mots. Fortinbras, lui, est un bras. Hamlet réfléchit, il écrit, il glisse des poignards dans des mots qui jamais ne sont scellés par des actes ; il se décharge d'agir sur des comédiens dont il attend qu'ils mettent, eux, en accord la parole et l'action. Fortinbras, au contraire, agit de lui-même et expose sa propre existence au danger et à la mort. Hamlet n'est un corbeau vengeur que par son théâtre-miroir qui doit montrer « à l'infamie sa propre image, et à notre temps même sa forme et ses traits ». Fortinbras, pour sa part, est tout corbeau, c'est-à-dire que sa rancune contre la société lui fait accomplir ce que Hamlet se contente de souhaiter quand il lance au meurtrier de comédie qui va s'exécuter : « Laisse là tes pitoyables grimaces, et commence. Allons ! Le corbeau croasse : Vengeance ! » (acte 3, sc. 2).

Hubert Aquin tue Hamlet parce que celui-ci n'exécute pas ce qu'Œdipe, lui, a accompli. Hamlet a beau, comme Œdipe, mettre à nu la laideur du monde, il n'arrive pas de lui-même à s'y arracher. Hubert Aquin tue un Hamlet déjà mort parce qu'impuissant devant la mort de son père à laquelle il n'arrive qu'à opposer des mots. Il le tue pour le ressusciter aussitôt, d'abord en Fortinbras vengeur de la mort de son propre père, et ensuite en Hubert Aquin qui en se décervelant réalise le vœu exprimé par Hamlet à la fin de la scène 4 du quatrième acte, que sa pensée « soit de sang, ou qu'elle soit de néant ! » Aquin abat le Hamlet-cervelle qu'il est lui-même, ce Hamlet auquel Stephen doit penser quand il dit dans *Ulysse* qu'« à travers le spectre du père sans repos l'image du fils sans existence regarde » (2e partie, chap. 6). Aquin tue Hamlet pour échapper à ce destin que résume la suite de l'idée de Bloom : « ce que j'étais est ce que je suis et ce qu'en puissance il peut m'advenir d'être. Ainsi dans l'avenir frère du passé, peut-être me verrai-je tel que je suis actuellement, assis là, mais par réflexion de ce qu'alors je serai ». Hubert Aquin n'est pas coupable de sa propre mort ; il n'abrège pas sa vie, mais fait ce qu'il faut faire quand on refuse de tout laisser dormir.

Pour Schelling, l'être sublime est celui chez qui toute passivité a disparu et « qui ne se comporte passivement envers rien ». Le meurtre d'Hamlet par Aquin met un point final à une longue réflexion ; il annonce la rencontre inouïe, dans l'action, d'une destinée (la mort) et d'une volonté (de vivre) qui courent pourtant en sens contraires. Aquin et Shakespeare se ressemblent, tout entiers voués à la lutte pour transmuer leur tourment personnel en quelque chose d'universel. Ce que vainquent Hamlet-Fortinbras et Aquin-Hamlet, c'est l'emprise de la mort héritée du père, l'essence même du problème faustien exprimé sous forme d'énigme par Nietzsche au début d'*Ecce Homo* : « La chance de mon existence, voire ce qu'elle a d'unique, tient à sa destinée : pour l'exprimer sous forme d'énigme, je suis déjà mort en la personne de mon père. »

Dedalus

Le fils est consubstantiel au père qui est lui-même un fils consubstantiel à son propre père, celui-ci étant également un fils consubstantiel à son père… Dans le récit de Borges intitulé « Les ruines circulaires », le fils est un fantôme qui ne doit jamais savoir qu'il n'est qu'un fantôme sinon il risque de découvrir que sa condition de simulacre n'est rien d'autre que la condition même d'une humanité où chacun est « la projection du rêve d'un autre ». Borges raconte dans son recueil *Fictions* avoir extrait le récit des ruines circulaires d'un recueil d'un certain Herbert Quain, auteur d'œuvres expérimentales, et notamment des romans *The god of the labyrinth*, une histoire policière sur une mort indéchiffrable, et *April March*, un récit peignant une sorte de monde inversé où la blessure devrait précéder le coup et la mort, la naissance. Le nom de ce romancier imaginaire, H. Quain, est l'anagramme parfait de H. Aquin. Ce fragment de la Bibliothèque totale qu'est l'examen de l'œuvre de Quain par Borges semble renfermer le récit anticipé, chiffré et rêvé par un autre, des morts (en avril puis en mars) d'Hubert Aquin : sa mort d'abord fictive dans la nouvelle « De retour le 11 avril », puis réelle, ce douloureux 15 mars où disparaît sans retour l'auteur de romans expérimentaux à caractère policier, qui a inscrit en tête de son dernier projet une phrase évoquant un monde où la mort précède la naissance : « Le commencement n'est le commencement qu'à la fin. »

L'examen par Borges de l'œuvre de Quain est une des pièces d'un ensemble dont la huitième, une fiction policière racontant les préliminaires et l'exécution d'un crime, donne son titre au tout. Ce récit, « Le Jardin aux sentiers qui bifurquent », met en scène un espion en fuite qui adresse aux guerriers en tous genres un conseil, auquel un terroriste aussi doit réfléchir : « *Celui qui se lance dans une entreprise atroce doit s'imaginer qu'il l'a déjà réalisée, il doit s'imposer un avenir irrévocable comme le passé.* » Le héros de cette histoire, l'espion en cavale, se présente comme l'arrière-petit-fils d'un homme qui renonça au pouvoir politique pour écrire un roman-labyrinthe qu'il voulait infini et où, dans les diverses rédactions d'un même chapitre, l'ancêtre en question reprend toujours une même phrase : « *C'est ainsi que combattirent les héros, le cœur admirable et tranquille, l'épée violente, résignés à tuer et à mourir* », qui complète d'avance le conseil qu'adressera aux guerriers l'espion, son descendant. La fin d'Hubert Aquin dans les jardins de Villa Maria a quelque chose de cette conclusion qui se répète au cœur d'un livre infini et lui-même, Aquin, quelque ressemblance avec l'auteur de ce livre, un romancier génial, aux goûts métaphysiques et mystiques, qui fit de son œuvre une « parabole dont le thème est le temps ».

Avant de découvrir que le roman-labyrinthe était infini parce qu'il exposait tous les dénouements possibles, un savant que Borges a nommé Stephen Albert supposa un livre circulaire « dont la dernière page fût identique à la première, avec la possibilité de continuer indéfiniment ». Ce Stephen n'était pas loin d'imaginer une œuvre sans point final dont le dernier mot s'arrime au premier comme dans *Finnegans Wake*, le roman de Joyce, père par l'esprit d'un autre Stephen, Dedalus celui-là, dont le patronyme signifie labyrinthe.

Sous le mot « Papa », Joyce écrit dans son *Carnet de Trieste* : « C'est un suicidé irlandais. » Dans *Ulysse*, Léopold Bloom est un père qui erre à la recherche d'un fils et sa quête, aux yeux d'Aquin, témoigne d'une volonté chez Joyce d'aller « jusqu'au bout de sa paternité ». Pour Aquin qui participe en 1968 aux Journées de la revue *Interprétation* sur l'image paternelle, la perception du père du point de vue de la filiation ne doit pas laisser dans l'ombre l'« autre versant de son image » que représente sa situation conjugale. À la spiritualisation filiale joycienne correspond une spiritualisation conjugale aquinienne ; au fils spirituel chez Joyce, l'âme-sœur chez Aquin.

Il y a chez Hubert Aquin une volonté d'aller jusqu'au bout de la conjugalité, et même jusqu'au bout de tout, c'est-à-dire trop loin. À vouloir vivre intensément, Aquin dépasse la mesure même de la vie. Son œuvre donne à une existence limitée un caractère démesuré. Elle est le résultat d'une course contre la vie poussée à la limite, où le « dépassement cérébral » attend son expression dans la vie, qui doit porter la marque de la même concentration et de la même efficacité auxquelles est parvenu son cerveau dans la fiction. Pour épuiser l'action politique, il se fait terroriste ; pour épuiser l'acte de vivre, il se fait sauter la cervelle.

Le coup de feu et le coup de foudre sont les armes d'une même lutte à mort contre la mort. Roméo et Juliette ne peuvent envisager d'être séparés. Elle, dans sa rage désespérée, veut se fracasser la cervelle. Lui, lassé de vivre, souhaite décharger son tronc de son souffle « aussi violemment que la poudre rapide enflammée se précipite hors de la matrice d'un canon ! » Écrire pour Aquin est un grand amour et le lecteur, une âme-sœur devant qui, faute d'exister tragiquement, il joue la tragédie pour la distraire avec lui du néant de cette vie.

Aimer pour Aquin, c'est ne pouvoir se détacher de la douleur secrète de l'autre, au point de le torturer pour voir dans son visage sa souffrance mise à nu. Quand Nicolas taillade le corps de Sylvie, dans le regard qu'il porte sur elle à ce moment-là, s'exerce une forme élémentaire de la paternité : « une pitié décourageante, insupportable tellement elle nous fait racler le fond de désespoir de toute vie ». Quand, avec ses romans, Hubert Aquin étreint et tout à la fois agresse son lecteur, la même chose se produit, entre lui et nous cette fois-ci.

Hubert Aquin s'efforce de recréer dans ses romans le couple homérique que composent Ulysse et Pénélope, reformé déjà dans le roman joycien par Léopold et Marion, et qu'il définit, dans ses considérations sur *Ulysse*, comme une « dyade fondatrice et génératrice », une sorte de constante dans l'histoire de l'humanité. De l'œuvre d'Aquin, on pourrait donc dire ce que lui-même affirmait du roman de Joyce : qu'elle constitue un inventaire de notre réalité humaine dans la mesure où, dans sa structure même « se reproduit une relation fondamentale entre ce qui existe dans notre société et ce qui a déjà existé dans un certain passé ».

Parce que rien de ce qui est humain ne lui est étranger, Hubert Aquin reconnaît à James Joyce une « stature patristique » ; Joyce est un père du roman du vingtième siècle dont Aquin est un fils spirituel.

Ferragus

Le jeune Hubert a-t-il lu Balzac comme un fils écoute son père lui révéler certaines inconnues de la vie ? que l'obsession personnelle évolue au sein d'une société qui la suscite et l'explique, que l'argent est l'instrument des pouvoirs, que le triomphe de l'homme supérieur est essentiellement assuré par une volonté de puissance qui lui fait épouser les événements et rend son quotidien indémêlable de l'Histoire.

Interné dans l'aile fermée d'un institut psychiatrique où on l'a transféré après la prison, Hubert Aquin subit là une sorte de désidentification. Son crime — une tentative d'« insertion violente dans la vie courante » — est indissociable du mal-être collectif qui a suscité et qui explique les attentats du Front de libération du Québec à la même époque et pourtant, il est traité non pas en terroriste mais en malade à enfermer avec les fous. Si Hubert Aquin, alors réduit lui-même à néant comme son projet terroriste, écrit le roman *Prochain épisode*, c'est pour que le réel qu'on lui empêche de toucher en l'internant obéisse néanmoins au révolutionnaire qu'il a affirmé être. Privé de son revolver, il écrit comme on assassine ; la « beauté homicide » de son roman est la preuve de son refus de dévier de son désir d'épouser l'événement. Hubert Aquin en maquisard écroué, à l'exemple du forçat Ferragus dans Balzac, joue contre tous, mais en plus contre lui-même : *Prochain épisode* est pour lui une sorte de victoire de la fiction (pleine) sur l'autobiographie (vide).

Son arrestation l'a sans doute vidé de l'illusion de se croire capable de tout, mais n'a réduit en rien son pouvoir de se venger de tout, y compris de son impuissance. Non pas défait d'avance comme le patriote de 1837, mais défait d'abord, Hubert Aquin qui a échoué à s'insérer violemment dans la société est condamné à y jouer un rôle de second plan : il sera écrivain faute d'être terroriste ou banquier, c'est-à-dire à défaut d'être puissant par la volonté ou par l'argent. Aquin se venge de cette damnation en concentrant dans une œuvre toute sa violence qu'il arrive ainsi finalement à décharger sur la société. À l'exemple de Balzac qui fait de l'histoire de Ferragus le *premier épisode* d'une histoire plus vaste racontant un combat contre l'ordre social où on ne craint pas de tuer, Hubert Aquin intitule le roman para-politique où son esprit dévorant se déploie dans toute sa vigueur : *Prochain épisode*.

L'œuvre d'Aquin renferme une cruauté de nature balzacienne, du genre de celle, précisément, qui conduit au sadisme et à la torture, comme dans l'histoire dont *Ferragus* est le premier épisode. Les sentiments violents dont sont habités ses romans sont à la mesure de la haine qu'il éprouve pour une société où lui est refusée la grandeur et proportionnés à son ardeur pour malgré tout la conquérir. Hubert Aquin, même s'il a été arrêté et se trouve interné, arrive, de sa prison, à se tenir au-dessus des lois et à poursuivre son action clandestine en fabriquant *Prochain épisode* : une bombe.

Aquin, en terroriste-commandant de l'Organisation spéciale, cherche, comme les rebelles que sont les Treize dans la grande histoire de Balzac, à se venger d'une vie plate. C'est pour exercer cette même vengeance qu'il songe, comme Ferragus, à se mêler à la haute finance et à la haute société. Mais ses ambitions sociales tirent après elles des visées politiques qui lui rendent risquée la fréquentation des pouvoirs ; celle de Power Corporation lui sera fatale.

La volonté de puissance chez Hubert Aquin est tout simplement un vouloir-vivre qui lui est propre et qui le fait, dit-il, se cramponner au radeau de la Méduse, à ce monde infligé où ne survivent que les dévorants et où lui, de façon renversante, commence par se massacrer lui-même. Dans une lettre ouverte publiée dans *Le Quartier latin* du 17 novembre 1950, que la formule finale « Contre vous toujours » résume si bien, le jeune Hubert écrit : « Cher Aquin, vous parlez constamment de révolte et de combat, [...] mais c'est pour compenser votre complète inefficacité. »

Hubert Aquin veut se venger du monde qu'on lui inflige, mais pas seulement dans son art, ce qui ne serait qu'une fuite inefficace, mais dans sa vie même. Sa révolte est camusienne et également balzacienne, mussetienne, byronienne. En homme intelligent, tel que le concevait Camus, il cherche dans la révolte une issue à l'inévitable. La vérité, peut-on lire dans *La Chute*, est que tout homme intelligent rêve d'être un gangster — criminel comme Ferragus, terroriste comme Lorenzaccio ou encore révolté comme Harold — et de « régner sur la société par la seule violence ».

L'Homme révolté débute par cette affirmation : « Nous sommes au temps de la préméditation et du crime parfait. » Camus examine dans cet essai les justifications de « la réalité du moment, qui est le crime logique », en cherchant à savoir si l'innocence, quand elle agit — et on ne peut agir, précise le philosophe, que dans le moment qui est le nôtre —, ne peut s'empêcher de tuer : « Puisque toute action aujourd'hui débouche sur le meurtre, direct ou indirect, nous ne pouvons pas agir, écrit Camus, avant de savoir si, et pourquoi, nous devons donner la mort. »

Aquin doit tuer pour la même raison que Lorenzaccio dans la pièce de Musset : parce qu'en ce monde
soustrayant, où on ne peut être que l'ombre de soi-
même, le meurtre est tout ce qui lui reste de ce que lui-
même est vraiment. Dans ses romans, il se cramponne
au meurtre pour ne pas laisser s'évanouir l'énigme de sa
vie qui est d'être quelqu'un en qui on honore ce qu'on
ne ferait pas soi-même. Hubert Aquin doit tuer parce
qu'il ne peut consentir à un ordre du monde dégradant.
Son insurrection est tragique : il tue par refus de la
mort, il tue par volonté de vivre. Il transpose dans ses
romans le monde pour y tuer sans réserve, autant qu'il
désirerait vivre, c'est-à-dire totalement. S'il échappe
au nihilisme, c'est parce qu'en même temps qu'il
conteste violemment le réel, il ne s'y dérobe pas. Aquin
ne fuit pas le monde, son art lui fournit ces héros dont
parle Camus, qui courent jusqu'au bout de leur destin et
finissent ce que nous n'achevons jamais ; Aquin trouve
dans le roman un moyen d'accéder à la grandeur, même
dans une vie appauvrie. « Nous devenons grands par le
sentiment et par l'intelligence », affirme Séraphîtüs/
Séraphîta, la créature hermaphrodite d'une œuvre
mystique de Balzac, qui a pour décor la Norvège que
choisira à son tour Aquin pour son dernier roman qui
s'achève, curieuse coïncidence, sur l'union mystique de
deux en un.

Faust

Faust fait de son destin individuel une aventure universelle. Son désir frénétique de tout vivre et sa volonté de
puissance le font se révolter contre une vie mal faite et
le portent à passer à l'action d'une manière radicale,
n'écartant rien, pas même le crime, pour s'affirmer plus
grand que ce monde qui l'accable de limites. La révolte

des *Rédempteurs*, le long récit que le jeune Aquin compose en 1952, est faustienne en ce sens qu'elle naît, comme celle de Faust, du refus d'une vie misérable, refus dont le récit apocalyptique d'Aquin nous donne la mesure.

L'Antiphonaire est aussi un roman apocalyptique et il est hanté par Faust : un de ses personnages, Jules-César Beausang, est en effet un calque de Paracelse qui est lui-même un double du vrai Faust, son contemporain. C'est un roman où, sous une forme apparemment harmonieuse, « le fond se met à exploser, jusqu'à devenir une hécatombe », un massacre auquel d'ailleurs l'auteur lui-même n'échappe pas quand, en mars 1971, il tente de se suicider dans un hôtel sous l'identité d'un personnage de son roman, Jean-William Forestier.

On raconte que Faust, celui qui a vécu au XVI\ :sup:`e` siècle et inspiré la légende, serait mort le corps déchiqueté par une explosion. La détonation qui fait sauter la cervelle d'Aquin retentit dans les jardins du couvent Villa Maria, auprès donc de la même Vierge Marie à qui Marguerite adresse sa prière quand elle intercède pour l'âme de Faust dans l'épisode final de l'œuvre de Goethe. « Elle », la Vierge, pour le jeune Aquin qui signe dans *Le Quartier latin* un article sur le dogme de l'Assomption de Marie, c'est ce qui reste quand il ne reste plus rien. Le dernier distique du *Second Faust* de Goethe — « L'éternel féminin / Nous attire vers En-Haut » — et le dernier paragraphe de *Neige noire* — où le lecteur se laisse transporter par le baiser final de Linda et Éva — mettent tous les deux leur espoir d'élévation jusqu'aux sphères supérieures, dans le Féminin : « au-delà de la passion qui la secoue Éva embrasse Dieu lui-même (en même temps qu'elle est embrassée par Linda) ».

Le *Faust* de Goethe s'ouvre comme le *Livre de Job* : l'Adversaire dans la Bible et Méphistophélès dans la pièce ont parcouru la terre et savent à quoi s'en tenir au sujet des hommes. Le Seigneur demande au premier s'il a remarqué Job, au second s'il connaît Faust. Les deux (qui ne sont qu'un) répondent respectivement que l'un possède beaucoup et que l'autre désire beaucoup. Job et Faust font alors l'objet d'une gageure entre le Seigneur et Satan ; celui-là permet à celui-ci de les induire au péché. Le Diable s'y applique en dépossédant totalement le premier et en comblant absolument le second.

Job et Faust sont en quelque sorte des doubles du Christ tenté au désert par le Diable : le Christ-Job affamé par un jeûne de quarante jours et quarante nuits, et le Christ-Faust à qui s'offrent tous les royaumes du monde et leur gloire. Parce qu'il balance lui aussi entre ces deux extrêmes — ou bien être tout (Faust) ou n'être plus rien (Job) —, le jeune Aquin ne s'éloigne jamais du Christ envers qui par ailleurs il avoue agir lui-même sataniquement : « Oui, quand il s'agit du Christ, j'hésite vertigineusement entre lui donner tout [comme Méphisto à Faust] et tout lui retirer [comme l'Adversaire à Job]. » Le choix intransigeant d'Hubert Aquin, qui est de « se choisir jusqu'à l'extrême », est un désir de totale perfection dans la destruction comme dans la construction, qui le rapproche du Christ : « Je cherche d'abord l'achèvement de ma propre vie ; et je vois alors que je ne suis fidèle au Christ qu'en m'accomplissant moi-même héroïquement. »

Quand Aquin définit l'écrivain maudit comme « une vapeur d'eau bénite condensée », il avoue paraphraser son *doppelganger* Paracelse, lui-même sorte de sosie de Faust. En usant de techniques de composition démoniaques, le romancier cherche à intimider ou à exaspérer le lecteur qui pourrait le maudire pour ça et blasphémer devant ses machinations diaboliques. L'*Ulysse* de Joyce et *Finnegans Wake* plus encore ont au plus haut degré cette même qualité de conduire au blasphème.

Une scène magistrale écrite par Joyce, qui a pour toile de fond le quartier des bordels de Dublin, a été appelée la « Walpurgisnacht » du roman *Ulysse*, tant elle rappelle le « Songe d'une nuit de Sabbat » du *Faust* de Goethe. L'entreprise de Joyce de construire une œuvre totale a fait de lui une sorte de Faust qui s'assimile le monde et l'histoire du monde. Le LIVRE SUR TOUT dont rêve Novalis, le LIVRE SUR RIEN de Flaubert, le LIVRE TOTAL de Mallarmé, le LIVRE INFINI de Borges, le LIVRE COSMOS de Joyce, le LIVRE SECRET d'Hubert Aquin sont les avatars d'une même ambition faustienne qui entraîne le dernier — Aquin — dans les parages d'*Hamlet*, c'est-à-dire là où opère la magie du chef-d'œuvre, qui consiste à faire le vide avec le plein : avec plein de mots, Sophocle, Shakespeare et Goethe n'ont fait que ménager un vide pour qu'en Œdipe, en Hamlet et en Faust chacun de nous puisse habiter.

Aquin projette trouver le sujet et la composition de *Saga segretta* à partir d'*Hamlet*, de sagas islandaises et de différents points qui n'ont pas été développés du plan de *L'Antiphonaire* où rôde à l'ombre des personnages de Christine, de Beausang et de Paracelse, Faust. Sa saga astronomorphe, il l'apparente au Livre total dont rêvait Mallarmé. L'exergue qu'il lui destine (*Solus ad solum*) reprend une formule épistolaire de Flaubert. L'énigmatisme de son titre (*Saga segretta*) évoque les formules obscures de la poésie islandaise explorées par Borges dans « Les kenningar ». La conception copernicienne de son projet de roman (« une constellation toujours en mouvement ») multiplie les déplacements comme le Livre sur tout de Novalis devait donner la possibilité de penser en plusieurs sens. Aquin songe aussi à s'approprier, à la suite de Joyce, le personnage d'Ulysse, à adopter le point de vue d'une sorte d'Ulysse cherchant à retrouver la direction de son île natale. L'entreprise d'Aquin a quelque chose de diabolique : il la conçoit secrète, démesurée et provocante. Elle s'annonce totale, comme si rien de l'humanité et de l'histoire de l'humanité ne devait lui échapper. Rien, c'est-à-dire ni Œdipe, ni Hamlet, ni même Faust, parce qu'en visant à faire du Livre secret quelque chose de puissant, d'irrésistible et de *révélateur* de lui-même, Aquin devient le Faust d'une saga méphistophélique.

Goethe parvient à travers la réalité historique qui est la sienne à créer une sorte de livre total assimilable au livre global dont parle Umberto Eco, « où se rejoignent le ciel et la terre, le Passé et le Présent, l'Histoire et l'Éternité ». Cette fusion, Teilhard de Chardin la rend scientifiquement concevable. Le motif sur lequel son ouvrage sur *Le Phénomène humain* est construit — « rien ne saurait éclater un jour comme final qui n'a pas d'abord été primordial » — s'apparente à l'exergue schellingien qu'Aquin destine à *Obombre* : « Le commencement n'est le commencement qu'à la fin. » Dans son ultime projet, Aquin cite plus d'une fois le théologien paléontologue et en particulier cette phrase : « L'histoire du monde est celle d'une création continue. » En fait, cette phrase le bouleverse ; il s'exclame aussitôt après l'avoir notée : « Oui, *création continue*, voilà mon projet artistique total ! » Aquin est entraîné par son projet dans un mouvement comparable au vaste enroulement « sur toujours plus de complexité et de conscience » dont parle Teilhard de Chardin et dont le terme, pour le phénomène humain, est la fin du monde et pour Aquin sa propre fin.

L'extase mystique sur laquelle s'achève *Neige noire* est de même nature que celle qui préside à la fin du monde telle que la conçoit Teilhard de Chardin, une extase qui représente « la seule issue biologique convenable et concevable au Phénomène humain », l'extase même dont parle saint Paul cité dans la « lettre faire-part » d'Aquin à Michèle Favreau : « Ce que je voulais te dire, en fin de compte, Michèle, c'est que l'histoire individuelle est indissociable de l'aventure cosmique et que le sens mystique se glisse précisément à la charnière du moi et du collectif... Les mutations de la perception qu'on peut attribuer à l'imprégnation du moi par le collectif ne sont rien à comparer à la révolution opérée par la résurgence du mystique dans l'existence individuelle. Saint-Paul a dit : *Heureux le monde qui finira dans l'extase.* »

Dans la Noogénèse teilhardienne qui se confond avec la Christogénèse paulinienne s'achève une hyper-personnalisation de l'Univers où Universel et Personnel culminent l'un dans l'autre en même temps. Rudolf Steiner, dans son ouvrage sur *L'Esprit de Goethe*, avance que l'homme, aux yeux de l'auteur de *Faust*, est « le point central et la résultante des activités spirituelles de l'univers ». Le projet *Saga segretta* est de nature teilhardo-faustienne. Confectionné comme une constellation en mouvement, le livre projeté par Aquin n'est rien de moins qu'un monde que son auteur voit déjà s'hyper-personnaliser pour devenir quelque chose de révélateur de son propre « moi » qui devient ainsi la résultante du mécanisme infini et complexe de l'univers. Cet univers, faute de s'être déployé dans la *Saga*, a trouvé à se manifester dans *Neige noire* que l'extase mystique de la fin du roman nous conduit à considérer dans son ensemble comme une sorte de Christogénèse : « Que la vie plénifiante qui a tissé ces fibrilles, ces rubans arciformes, ces ailes blanches de l'âme, continue éternellement vers le point oméga que l'on n'atteint qu'en mourant et en perdant toute identité, pour renaître et vivre dans le Christ de la Révélation. »

Le Surhomme

Le romancier vainc son impuissance dans cette vie en parvenant, au bout de la sienne, à un nouveau sentiment de puissance : l'état mystique. Ce dépassement de la raison par l'extase, Hubert Aquin l'a rencontré très tôt en pratiquant Nietzsche. Il présente celui-ci dans un texte destiné à une série radiophonique sur les philosophes et les penseurs, comme un « Antéchrist » jamais tout à fait éloigné de la religion, qui a grandi au cœur du même paysage où vécut l'auteur de *Faust* et préféré, dans sa recherche de « vérités sanglantes », l'exaltation mystique à la raison raisonnante, opposant aux systèmes philosophiques son propre chaos intérieur et au syllogisme le cri du poème — ce cri violent qu'Hubert Aquin entendra plus tard également retentir dans la parole d'un poète qu'il n'hésitera pas à appeler notre « Christ », Gaston Miron dont le nom, au temps de l'agitation felquiste, a constitué, comme le dit Aquin, un « blasphème extraordinaire ».

Le génie est une couronne d'épines qui conduit Nietzsche à signer ses derniers messages « le Crucifié » et qui accorde à Aquin de reprendre à notre intention les paroles d'Hypérion : « Je souffre sans doute, oui, je souffre, / Mais vous, — vous mourez, vous mourez ! » Ce que retient Hubert Aquin de l'œuvre de Nietzsche, c'est « la pensée agressive, blasphématoire et tendue vers le Surhumain ». Ce qui l'ébranle, c'est le desperado que Stefan Zweig avait reconnu en lui : « Il tue, il profane, il blasphème, il terrorise... » Sur le combat de Nietzsche contre le monde, que doublait une lutte contre lui-même, se modèlent la course d'Aquin contre la vie et sa volonté surhumaine de se dépasser. Nietzsche et Aquin sont des « machines qui peuvent éclater » et qui, avant d'exploser, nous plongent, par leurs œuvres — ces infernales machines créées à leur image —, dans un trouble profond. Ce trouble tragique dont parle Aquin au sujet de Nietzsche est, dit-il, celui de l'existence, d'une existence où le propre désir de liberté d'Aquin lui fait se sentir en ce monde pas autrement qu'en voyageur errant, à la façon de Nietzsche se qualifiant de *fugitivus errans*, ou à la manière du Juif fidèle à une identité erratique, ou encore selon un mode goethéen défini par Goethe lui-même dans une lettre à Zelter (1812) : « On n'avance jamais plus, que quand on ne sait pas où l'on va. » C'est le point de vue du voyageur perdu qu'Hubert Aquin comptait adopter dans *Saga segretta*, celui d'une sorte d'Ulysse cherchant à retrouver sa direction dans un livre astronomorphe, conçu comme un astrolabe et composé comme une constellation, un projet de roman où l'auteur devient ce qu'Aquin dit que Nietzsche disait être : un « astronaute de l'esprit » !

Dans *L'Antiphonaire*, la ville de Turin rappelle à Christine un souvenir qui, au premier degré, la concerne elle et Jean-William Forestier (Turin : un désert) et, au deuxième degré, a rapport à Jules-César Beausang (Turin : un point teminal). Elle ne doit pas, cette ville, manquer de nous rappeler à nous, au troisième degré, que Nietzsche y fut foudroyé (Turin : une obsession). Le fatalisme tragique sur lequel se clôt la pensée nietzs-chéenne de l'éternel retour finit par rejoindre Aquin qui périt à son tour : c'est parce qu'elle signifie que nous sommes condamnés à vivre encerclés et qu'elle nie par le fait même toute création, que la conscience totale de faire partie des causes d'un éternel retour des choses est un événement catastrophique pour Hubert Aquin, qui le foudroie à la fin de sa vie.

C'est Johann Georg Hamann — à la pensée duquel le jeune Goethe fut initié — qui déclara un jour dans une lettre, que le « génie est une couronne d'épines ». Ce mystagogue apocalyptique, précurseur de Schelling et de Nietzsche, avait coutume de répéter que « seule la descente aux Enfers nous ouvre la voie de l'apothéose ». Dans *Le Docteur Faustus* de Thomas Mann, le Diable lui-même affirme qu'il ne se trouve aucun génie qui ne possède rien de commun avec les enfers, qui n'est pas frère ou du criminel ou du dément. Le roman *Trou de mémoire* est habité par le crâne des *Ambassadeurs* de Holbein, un tableau obscur dont jaillit, pour Aquin, ce même éclair qui fit saisir à Nietzsche devant *Le Chevalier avec la Mort et le Diable* de Dürer que « comprendre est une fin ».

Dans un discours en l'honneur de Goethe, Paul Valéry (qui ébaucha un jour lui-même un *Faust*) nous fait voir Faust ramasser un crâne pareil à celui rejeté par Hamlet, l'examiner comme un paléontologue (peut-être bien teilhardien) et dire au terme de son examen ceci : « La tête des mammifères se compose de six vertèbres : trois, pour la partie postérieure, qui enferment le trésor cérébral et les terminaisons de la vie divisées en réseaux ténus qu'il envoie à l'intérieur et à la surface de l'ensemble. Trois composent la partie antérieure qui s'ouvre en présence du monde extérieur qu'elle saisit, qu'elle embrasse et QU'ELLE COMPREND. » Un passage de *Trou de mémoire* nous prouve qu'Hubert Aquin avait compris — quelques mots que le cadavre au crâne troué qui gît décervelé dans une allée des jardins de Villa Maria, aurait, s'il s'était réincarné le jour d'après en lui-même vivant, sans doute prononcés : « Comment renouer une vieille relation humaine trop humaine puisque le crime de la veille m'a hissé au-delà de ce qui est humain trop humain, au-delà du bien et du mal aimer — pareil, en cela, au promeneur inlassable de Sils Maria ! J'ai franchi le seuil des sentiments humains et de la faiblesse. »

Lui qui vivait Le voici mort
Nous qui vivions voici que nous allons mourir
Avec un peu de patience

T. S. Eliot,
La Terre vaine

Sources

Il ne convenait pas de surcharger le texte de renvois et de références. Le lecteur attentif saura bien se repérer : avec les indications de dates, se reporter au *Journal* d'Hubert Aquin et aux lettres qu'on y trouve en appendice ; avec les mentions de titres, retrouver les textes d'Aquin dans l'édition critique de son œuvre dans la collection « BQ ». Les éléments biographiques sont tirés du *Journal* de l'écrivain, de *Itinéraires d'Hubert Aquin* par Guylaine Massoutre, de l'« otobiographie » *Desafinado* par Françoise Maccabée-Iqbal et de l'enquête sur le suicide d'un écrivain par Gordon Sheppard et Andrée Yanacopoulo, *Signé Hubert Aquin*, qui contient la documentation (entrevue et correspondance) relative au passage d'Aquin à La Presse. On trouvera des lettres à Louis-Georges Carrier dans *Point de fuite*, la « Lettre morte (à Gaston Miron) » dans le t. II des *Mélanges littéraires*, la lettre du 18 juin 1964 où Aquin annonce au *Devoir* qu'il entre dans la clandestinité et sa lettre de 1976 à Michèle Favreau, en appendice dans le t. I. Sur l'époque où le jeune Hubert Aquin étudiait en philosophie, on pourra consulter les p. 9-17 de mon ouvrage *Autour de Jacques Lavigne, philosophe*.

Pour plus de clarté, sans alourdir le texte de crochets et sans jamais en trahir le moindrement le sens,

quelques citations ont été légèrement retouchées, rac-
courcies, partiellement incorporées au texte ou souli-
gnées.

CHAPITRE PREMIER : LA GUERRE TOTALE. — L'essai d'Artaud
sur *Van Gogh le suicidé de la société* a été particu-
lièrement éclairant et inspirant pour la rédaction de
ce chap. — **P. 14** : Aquin parle des « étages de néant »
de la Place Ville-Marie dans « Essai crucimorphe ».
— **P. 14** : sur la suggestion collective de l'idée de mort
dans la société maori, voir la 4e part. de *Sociologie et
anthropologie* de Marcel Mauss et le *Journal* d'Aquin à
la date du 28 juil. 1961. — **P. 14** : Sartre parle de
l'« écrivain qui tire » dans le premier chap. de
Qu'est-ce que la littérature ? où aussi, pour répondre à
la question « Pourquoi écrire ? », il rapproche l'objet
raconté de l'objet peint et en particulier du tableau
Champ de blé avec corbeaux de Van Gogh. — **P. 15** : au
cœur du roman d'Aquin *L'Invention de la mort*, René
Lallemant déclare : « La perspective d'une expiation
théâtrale comme celle d'Œdipe redonnerait, ma foi, à
ma vie finissante un certain élan. Ce serait une façon
spectaculaire de me grandir et d'arracher, somme
toute, un dernier plaisir à la vie ». — **P. 17** : le texte du
discours de Lemelin a été publié sous le titre *Un
Québécois errant*. — **P. 18** : Aquin présente ainsi Pépin
dans sa lettre du 3 août à Lemelin. — **P. 20** : c'est dans
sa lettre du 10 oct. 1963 à Miron qu'Aquin parle du
fracas du F.L.Q. : « Au début de mars 1963, quand la
neige de la dernière tempête de l'hiver n'avait pas
encore été sublimée, la vraie tempête est arrivée
enfin, neige noire »… — **P. 218.** : Sartre parle de la
fatigue au point I du chap. 1er de la 4e part. de *L'Être et
le Néant*. — **P. 29** : Schelling est cité dans la trad. de

Jankélévitch. — **P. 30** : sur la figure de l'Ultra-humain, voir *L'Avenir de l'homme* de Teilhard de Chardin. — **P. 31** : c'est dans une note infrapaginale à la fin du sous-chap. sur « La Convergence de l'Esprit et le Point Oméga » dans *Le Phénomène humain* que Teilhard fait cette distinction entre la vraie et les fausses mystiques. — **P. 33** : les propos de R. Garneau ont été rapportés dans les *Écrits du Canada français*, n° 50 (1984). — **P. 37** : *De la sincérité envers soi-même* commence avec un exposé des dangers de la sincérité et s'achève sur une « Chasse à l'orgueil » où, à la date du 22 sept. 1914, on trouve la remarque de Rivière sur ce qu'ont en commun le littérateur et l'homme d'argent. — **P. 37** : « Écrivain, faute d'être banquier » est le titre d'une entrevue accordée par Aquin à Jean Bouthillette, reproduite au début de *Point de fuite*, où Aquin voyant en l'écrivain un « générateur de conscience », exprime son refus d'une « société qui vous confine dans des fonctions d'officiant [… et v]ous octroie d'autant plus de talent qu'[elle v]ous refuse d'importance ». — **P. 39** : sur la confession de Raphaël, Ruth Amossy nous sert de guide avec son étude parue dans le collectif *Balzac et La Peau de chagrin*. — **P. 40** : Aquin écrit dans son journal, le 27 déc. 1962 : « Âme : degré zéro, donc en parfait état. Je suis couvert de femmes et je tourne toujours de plus en plus vite sur une piste circulaire. Où vais-je ? ». — **P. 41** : on retrouvera au cœur du chap. « Le talisman » le passage cité de *La Peau de chagrin*. — **P. 41** : « Tuer ou se faire tuer, voilà bien ce problème premier qui, par son insertion violente dans la vie courante, confère à celle-ci le statut, ce tonus sans quoi elle se résume à une reptation asthénique et une interminable expérimentation de l'ennui » (Aquin, *Journal*, 31 juil. 1964). — **P. 41** : c'est au début de

Prochain Épisode que le héros proclame être « le symbole fracturé de la révolution du Québec, mais aussi son reflet désordonné et son incarnation suicidaire ». — **P. 43** : « Il y eut toujours en mon esprit ce qui le portait à se façonner pour lui-même quelque grand revers », cette parole d'un héros byronien citée en épigraphe au chap. 6 de son *Byron*, Du Bos la rend à Byron lui-même qui, à ses yeux, ne fait qu'un avec le besoin de fatalité.

CHAPITRE 2 : LE ROMAN TOTAL. — **P. 46** : voir ce qu'écrit Maurice Blondel p. 7 et 29 dans *L'Action* (PUF, 1949) : « [T]out agir [spéculatif ou pratique] semble impliquer une initiative interne et pour ainsi dire *automobile*, c'est bien d'une mise en train, d'un embrayage intérieur que déjà nous avons à scruter la secrète origine ». — **P. 47** : dans une entrevue accordée au *Maclean* (sept. 1966), Aquin explique son goût pour les voitures sport ainsi : « [O]u je fais une révolution, ou j'en fais 6,500 à la minute. L'un ou l'autre [... C]e qui me fascine dans la course, c'est un phantasme de mort que je trouve extraordinaire ». — **P. 47s.** : la troupe victorieuse de Saint-Denis ne croyait pas « qu'elle commençait la guerre et que, par conséquent, elle devrait la poursuivre sans relâche. Conditionnés à la défaite comme d'autres le sont au suicide parce qu'ils ont de l'honneur, les Patriotes se sont vus soudainement obligés de survivre sans honneur, sans style et sans même l'espoir d'en finir un jour. » On trouvera cette citation et tout ce qui se rapporte ici à l'analyse par Aquin de l'action des patriotes dans son texte « L'art de la défaite. Considérations stylistiques ». — **P. 49** : la fin de *Neige noire* s'éclaire à la lecture de la dernière page du journal de Teilhard de Chardin, qui porte sur la christogénèse et qu'on trouve reproduite dans *L'Avenir de l'homme* où, dans le chap. sur « La figure de l'Ultra-humain », il est question de « nous comporter spirituellement de telle sorte que l'étreinte totalisante à laquelle nous [soumet l'évolution de l'Univers] ait pour conséquence [...] de nous surhumaniser par intensification de nos puissances de comprendre et d'aimer [... S]i un noyau ultra-consistant ne surgit pas au sein de la mouvance cosmique [...] comment voulez-vous que (même sous l'effort externe d'un serrage planétaire) nous acceptions de nous engager, ... en direction d'une Mort totale ! ». — **P. 49** : dans un texte de jeunesse sur « Le Christ ou l'aventure de la fidélité », Aquin écrit : « Mon idéal est sans repos. Le Christ aussi est sans repos pour moi : je ne puis pas m'accorder de répit avec lui. Le moindre écart, la moindre légèreté il me les fait sentir. Pas jaloux, mais intransigeant. IL EXIGE D'ÊTRE TOUT OU RIEN ». — **P. 50** : dans *Les Âges du monde*, Schelling définit l'essence de Dieu ainsi : « Elle (la divinité), n'est rien, parce que rien ne peut s'ajouter à son essence qui en soit différent ; et elle est en même temps supérieure à tout rien, parce qu'elle est elle-même le tout » (trad. S. Jankélévitch). — **P. 50** : en n'étant lui-même plus *rien* qu'un « spectre hideux », comme l'affirme sa mère, Lorenzo est à lui seul l'égal de *tout*, c'est-à-dire de sa patrie qu'un banni a maudit en la traitant elle aussi de « spectre hideux » (acte I, sc. 6). — **P. 52** : la cit. se trouve dans les dernières pages du chap. relatant l'agonie de Raphaël dans *La Peau de chagrin*. — **P. 53** : c'est dans les notes (1969) pour un cours qu'il doit donner sur le baroque, qu'Aquin emprunte à Borges le titre d'un des chap. de ses *Fictions* pour décrire en un mot le monde faulknérien : « des ruines circulaires dont on ne sort pas et qu'on arpente inlassablement ».

— **P. 53s.** : voir l'ouvrage d'Eugenio d'Ors traitant *Du Baroque*. — **P. 54** : « Et toute la journée je me suis répété que je devais faire un malheur pour commencer à vivre – et à écrire (Aquin, *Journal*, 13 juil. 1961). — **P. 55** : « Je cherche à circonscrire le dedans du dedans, le point alpha de ma genèse. C'est cela. Mon œuvre (si elle existe) sera une tentative de genèse [...]. Oh, comme j'ai hâte d'entreprendre pour de bon ma genèse et de commencer cette épopée archétypale par les mots "Au commencement..." » (*Journal* d'Aquin, 4 janv. 1961). — **P. 55** : dans son intro. au document historique intitulé l'*Histoire de l'insurrection au Canada* (coll. « Quebecana »), Aquin dit du texte de Louis-Joseph Papineau qu'il fut écrit « au lendemain des événements par un homme dépassé par les événements », un homme à propos de qui il a déjà fait dire à son héros dans *Prochain épisode* qu'il « aurait mieux fait de se suicider ». — **P. 56** : Nabokov continue au sujet de la bombe et propose, au début de son texte sur « L'art de la littérature et le bon sens » dans son recueil *Littératures* où il analyse des grandes œuvres de la littérature européenne, de « prendre cette bombe [qu'est l'art], et de la laisser tomber soigneusement sur la cité modèle du bon sens » (trad. H. Pasquier). — **P. 57** : sur Vico et en complément à ses considérations sur la forme d'*Ulysse*, voir l'article d'Aquin « De Vico à James Joyce, assassin d'Ulysse ». — **P. 58** : la remarque de Levin se trouve à la p. 213 de son *Joyce* (trad. C. Tarnaud, Éd. Robert Marin). — **P. 58** : les messes noires dont il est question ici se trouvent respectivement placées au tout début d'*Ulysse* et vers la toute fin de *Neige noire*. — **P. 58** : « L'âme est en somme tout ce qui est ; l'âme est la forme des formes » (*Ulysse*, trad. A. Morel *et al.*, 1re part., chap. 2). —

P. 59 : l'analyse de *Madame Bovary* se trouve dans *Littératures* de Nabokov. — **P. 59s.** : la tripartition joycienne des genres, qui s'achève sur la divinisation de l'artiste, se trouve au chap. 5 dans *Dedalus* (trad. L. Savitzky) ; elle rappelle à Eco celle de Schelling : « la particularité du lyrique, l'infinité de l'épique et l'union dramatique du général et du particulier, du réel et de l'idéal » (*L'Œuvre ouverte*, trad. C. Roux de Bézieux, chap. VI-I, note 20). — **P. 60** : on trouvera la conférence sur James Clarence Mangan prononcée par Joyce devant la Société d'histoire et de littérature d'University College à Dublin le 15 févr. 1902, dans *Essais critiques* qui contient également une seconde conférence sur Mangan, datée de 1907. — **P. 60** : le texte de Pichette, « Joyce au participe futur », se trouve dans *Rond-point*. — **P. 61** : Holmes définit ainsi la vie dans le chap. 2 d'*Étude en rouge* de Doyle (trad. P. Baillargeon). — **P. 62** : le deuxième paragr. de la p. 62 s'inspire amplement de la deuxième moitié du chap. sur le roman policier contemporain dans *Le Roman policier* par Boileau-Narcejac, auquel sont empruntées, pour les adapter, l'idée d'un quelque chose d'« inassimilable par la raison », celle des interprétations logique et poétique d'une énigme qui « se nourrissent mutuellement », celles d'une réalité suprahumaine et du roman comme machine meurtrière. — **P. 63** : Robbe-Grillet écrit dans l'intro. à *L'Année dernière à Marienbad* : « [L]e cinéma est un art : il crée une réalité avec des formes. C'est dans sa forme qu'il faut chercher son véritable contenu. Il en va de même pour toute œuvre d'art, dans un roman par exemple ». — **P. 63** : sur le vocabulaire des formes, voir la fin du point VII et le point VIII du premier chap. de *L'Œuvre parle* de Sontag (trad. G. Durand). — **P. 64** : la référence au football se trouve dans la seizième des vingt règles du roman policier énoncées par Huntington que Boileau-Narcejac ne manquent pas de rappeler au cœur de leur enquête sur le *Roman policier.* — **P. 64s.** : Aquin a examiné le sport-spectacle dans un article intitulé « Éléments pour une phénoménologie du sport ». — **P. 64** : Huizinga débute *Homo Ludens* (trad. C. Seresia) avec des considérations sur la nature et la signification du jeu comme phénomène de culture. — **P. 64** : James parle des « gambades sportives » chères à l'imagination créatrice dans sa préf. à *L'Autel des morts*, qui se trouve dans le recueil de ses préf. paru en français sous le titre *La Création littéraire.* — **P. 65** : Aquin parle de Fangio et de Manolete dans le nᵒ 42 (1965) de la revue *Liberté*, et de Coppi, de son courage, de son intelligence et de sa stratégie, dans ses réponses aux questions d'Andrée Yanacopoulo sur son texte présentant des « Éléments pour une phénoménologie du sport ». — **P. 65** : Aquin témoigne du choc qu'il a ressenti devant les tableaux de Staël dans le nᵒ 42 (1965) de *Liberté.* — **P. 65** : Nicolas de Staël offre un portrait révélateur de lui-même dans une lettre à J. Dubourg datée de déc. 1954 et longuement citée à la p. 81 du *Staël* de Guy Dumur. — **P. 65s.** : on trouvera un développement des idées de Huizinga reprises ici, dans les premiers chap. de son essai *Homo Ludens* qui portent sur le jeu comme phénomène de culture, l'expression de la notion de jeu dans la langue, le jeu et la compétition et où, dans une note de bas de page, l'auteur rappelle « le rapport unissant *agôn* et *agônia* qui signifie d'abord compétition, plus tard aussi combat de l'âme, angoisse ». — **P. 67** : sur Van Doesburg, voir les propos de Sontag (*op. cit.*) concernant le théâtre et le cinéma. — **P. 67** : c'est dans la présentation qui précède la publication des quelques pages d'*Obombre* dans la revue *Liberté* (n° 135, 1981) qu'il est signalé qu'Aquin avait d'abord intitulé son projet de roman *L'Art de la fugue*. — **P. 68** : sur l'allure de code secret qu'adoptent les produits du savoir médiéval, sur Bach, le contrepoint et la fugue, lire « La dialectique structurelle de l'œuvre de J.-S. Bach » par R. Leibowitz, dans *La Revue internationale de musique*, n° 8 (aut. 1950). — **P. 68** : « Ce que je voudrais faire, comprenez-moi, c'est quelque chose qui serait comme l'*Art de la fugue*. Et je ne vois pas pourquoi ce qui fut possible en musique serait impossible en littérature... » (*dixit* Édouard, dans *Les Faux-Monnayeurs* de Gide, 2ᵉ part., chap. 3). — **P. 68s.** : le compte rendu par Aquin du film *Le Corbeau* de Clouzot est paru dans *Le Quartier latin* du 24 févr. 1950. — **P. 69** : « Je crois que l'écriture [...] c'est un concentré de vie, donc c'est extrêmement dramatique » (Entrevue d'Aquin dans *Québec français*, n° 24, déc. 1976). — **P. 69** : la fin du deuxième paragr. reprend des propos du premier manifeste d'Artaud sur le théâtre de la cruauté cités par Sontag dans le chap. de *L'Œuvre parle* sur les happenings où l'auteure dit de l'art qui recourt à la violence qu'il « se propose de tirer brutalement le public d'un état d'anesthésie confortable » (trad. G. Durand). — **P. 69** : sur la « soif désespérée d'une autre vie » et le choix de la destruction, l'accomplissement dans la catastrophe, la désocialisation et le suicide, voir le *Journal* d'Aquin, 5 juil. et 2 août 1961. — **P. 69** : « Ah si seulement je pouvais tuer beaucoup en me tuant : ensevelir [...] mon pays lui-même qui se meurt indéfiniment et ne produira jamais rien d'autre que le spectacle exagéré, fatigant de sa fin recommencée, interminable » (Aquin, *Journal*, 30 nov. 1962). — **P. 70** : dans son intro. aux *Mémoires d'outre-tombe*, J.-C. Berchet cite

cette phrase de Chateaubriand sur le « pays fatigué »
à titre d'ex. de la prégnance du modèle shakespearien
dans les *Mémoires*. — **P. 70** : « ˮPenser contre soi-
même", écrivait Du Bos de Nietzsche. […] On dirait
que la destinée de certains tient dans cet ardu travail
contre eux-mêmes : ils sont leur propre bourreau, ne
cessent de talonner, de s'épier, d'exiger d'eux-
mêmes le difficile » (Aquin, *Journal*, 18 févr. 1949).
— **P. 70** : « Comprendre dangereusement » est le titre
du préambule au n° 17 (nov. 1961) de la revue *Liberté*,
signé par Aquin. — **P. 71** : Marthe Robert nous
introduit au *Journal* de Kafka avec une définition du
sens que prend chez lui la connaissance de soi,
résumé ici en une formule. — **P. 71** : voir les lettres de
Mallarmé du 17 mai 1867 à E. Lefébure et du 31 juil. à
H. Cazalis. — **P. 71** : sur les grands écrivains, voir les
notes de cours de sept. 1969 d'Aquin, sect. XIII,
ff. 166-167. — **P. 71** : sur Sartre, voir plus haut la troisième note rattachée à la p. 14. — **P. 71** : c'est Aquin
lui-même qui résume ainsi dans *Liberté* (n° 42, 1965)
son commentaire sur la faillite de la littérature
québécoise, au colloque « Littérature et société
canadiennes-françaises », organisé par la revue
Recherches sociographiques en 1964. — **P. 72** : c'est sur
cette parole que James termine sa préf. à *La Coupe
d'or*, dans le recueil de ses préf. intitulé *La Création
littéraire* (trad. M.-F. Cachin). — **P. 72** : c'est la
conclusion à laquelle arrive Aquin dans ses « Considérations sur la forme romanesque d'ˮUlysse" de
James Joyce ». — **P. 72** : Eco, dans le préambule au
point II du chap. consacré à Joyce dans *L'Œuvre ouverte*
(trad. C. Roux de Bézieux).

CHAPITRE 3 : L'HOMME TOTAL. — **P. 74** : « Les formes du
récit sont des voiles jetés sur un mythe identique,

répété sans cesse par tous les écrivains du monde. Le récit est la façon de dévoiler le mythe » (Aquin, *Journal*, 3 août 1961). — **P. 74** : voir dans *Point de fuite* le projet de théâtre sur la mort de « Jules César » présenté par Aquin à Paul Blouin, le 15 oct. 1960. — **P. 74** : « Pauvre Œdipe, mon frère, mon double infini ! » (Lettre à L.-G. Carrier, 19 juil. 1971). — **P. 74** : voir « La bibliothèque de Babel » dans *Fictions* de Borges. — **P. 74s.** : dans le *Bulletin de l'ÉDAQ*, Renald Bérubé qui présente son projet pour l'édition critique de deux textes d'Aquin sur Œdipe, nous révèle que la phrase suivante, tirée d'*Œdipe recommencé*, « Connaître, c'est se reporter en arrière ; c'est par essence une régression à l'infini », est une citation non identifiée de *La Volonté de puissance* de Nietzsche. On trouve la devinette posée par Aquin dans *Œdipe* citée dans le texte de Bérubé. — **P. 75s.** : « Œdipe ! Œdipe ! écoutez-moi. Vous poursuivez une gloire classique. Il en existe une autre : la gloire obscure », lance Tirésias dans l'acte 3 de *La Machine infernale* de Cocteau d'où est tirée également (du prologue plus précisément) la cit. sur le destin œdipien. — **P. 76** : sur l'être sublime, voir la huitième des *Lettres sur le dogmatisme et le criticisme* de Schelling. — **P. 77** : le rire sarcastique dominant toute chose est emprunté à Carlo Michelstaedter (dans *La Persuasion et la Rhétorique*, trad. M. Riola, 1re partie, point 2) pour qui une des occasions de l'ennui mélancolique se trouve dans « le fait de revoir les empreintes de *sa vie* d'autrefois riche d'espoirs infinis, puis réduite, abandonnée, vendue par commodité, par lâcheté, par esprit d'adaptation ». — **P. 78** : voir de Jacques Ferron, « Premier Épisode », dans *Le Québec littéraire*, n° 2 (1976), repris en 2002 dans le collectif *Aquin des écrivains* (La Mise en

quarantaine/Le Temps volé, coll. « Ex Libris », n° 3).
Ferron écrit encore au sujet d'Aquin, dans *Livre d'ici*,
le 31 mai 1978 (vol. 3, n° 34) : « Celui-ci ne disait-il
pas de *Trou de mémoire* : "Mon deuxième roman n'est
pas politisé, mais il est essentiellement québécois".
Et pourtant, plus on avance dans la série de ces
romans, moins cette présence est apparente. Si bien
qu'elle y est devenue, à cause de sa fatalité, principe
de tragédie. C'est peut-être là le grand apport de
Hubert Aquin à la littérature québécoise qui, avant
lui, ne portait pas à conséquence et qui dorénavant y
porte et devient tragique ». — **P. 78** : c'est sur cette
réflexion que débute la deuxième partie de *Liberté ou
Fatalité ? Œdipe et Hamlet* de Vercors. — **P. 78** : sur
Polonius en César, voir l'acte 3, sc. 2 d'*Hamlet*. —
P. 79 : le titre du film d'Hitchcock et sa source nous
sont donnés à la note 102 dans l'éd. critique de
L'Invention de la mort. — **P. 79** : la réplique d'Hamlet à
Rosencrantz citée ici emprunte à la fois aux traduc-
tions de F.-V. Hugo et d'Y. Bonnefoy. — **P. 79** : « À toi
pour toujours, ma dame chérie, tant que cette
machine mortelle m'appartiendra ! » (Hamlet à
Ophélie dans la lettre lue par Polonius à la Reine, acte
2, sc. 2). Les réflexions qui suivent aux p. 79s. s'ins-
pirent de la même scène dont sont également tirées
les autres cit. — **P. 80** : sur l'expiation théâtrale, voir
ici la note rattachée à la p. 15. — **P. 80s.** : voir la
conclusion d'« Hamlet ou la conscience » dans
Vercors (*op. cit.*). — **P. 82** : voir *Le Prince noir* de
Murdoch, fin de la 1re part. — **P. 82** : sur le scénario
dans le commentaire, lire les pages 211-215 de *Neige
noire* dans la coll. « BQ ». — **P. 84** : sur le comportement d'Amleth, voir le chap. 7 d'*Hamlet et Œdipe*
d'E. Jones (trad. A. M. Le Gall). — **P. 84** : sur les
facéties d'Aquin, voir le témoignage de Mireille

Despard, la secrétaire d'Aquin à La Presse, dans *Desafinado* de F. Maccabée-Iqbal. — **P. 84** : Aquin déclare vivre de farces plates lors d'une rencontre organisée au cégep François-Xavier Garneau en 1973. — **P. 84s.** : T. S. Eliot, « Hamlet » (1919), dans *Essais choisis* (trad. H. Fluchère). — **P. 85** : Nietzsche, au point 4 de « Pourquoi je suis si avisé », dans *Ecce Homo* (trad. E. Blondel). — **P. 87** : voir sur Schelling la note rattachée à la p. 76. — **P. 87ss** : *Fictions* de Borges est cité dans la trad. de P. Verdevoye et Ibarra. — **P. 89** : l'extrait cité du *Carnet de Trieste* de Joyce a été traduit par P. Roussin. — **P. 89** : « Je devrais peut-être, dans ma pièce, réduire le jeu des sentiments à son minimum ; ne m'attacher à telle émotion que pour le dépassement cérébral qu'elle peut m'inspirer. Un sentiment simple m'intéresse en tant que mon esprit peut se permettre de le compliquer à son goût, avec élégance » (Aquin, *Journal*, 18 sept. 1949). — **P. 90** : Shakespeare, *Roméo et Juliette*, acte 4, sc. 3 et acte 5, sc. 1 (trad. P. J. Jouve et G. Pitoëff). — **P. 90** : « Le public que je veux substituer à l'âme-sœur, perdue, n'est que l'ombre de celle pour qui j'aurais voulu "jouer" ma vie [...]. Je ressemble à ces acteurs qui se jouent eux-mêmes pour se distraire du néant qu'ils portent » (Aquin, *Journal*, 28 déc. 1953). — **P. 90** : sur la paternité et la pitié, voir le *Journal* d'Aquin, 29 janv. 1954. — **P. 91ss** : l'intro. de M. Lichtlé dans l'édition de poche (GF) de *Ferragus* a nourri ici notre réflexion sur le rapport entre le personnage de Balzac et Aquin. Lichtlé rappelle que le forçat Ferragus de l'*Histoire des treize* annonce le banquier Vautrin du *Père Goriot*, dont les opinions (résumées en une phrase : « Il n'y a pas de principes, il n'y a que des événements ; il n'y a pas de lois, il n'y a que des circonstances : l'homme supérieur épouse les événements et les circonstances pour les conduire ») séduisirent Aquin songeant à « tout rompre et risquer de devenir Vautrin ! » (*Journal*, 19 août 1964). — **P. 91** : Aquin parle d'« insertion violente dans la vie » dans son *Journal* le 31 juil. 1964. — **P. 91** : « Écrire comme on assassine : sans pitié, sans régression émotive, avec une précision et dans un style intraitables. Que l'écriture retentisse cet acte fondamental premier : tuer. Créer la beauté homicide » (Aquin, *Journal*, 4 août 1964). — **P. 91** : « Le roman qui raconte l'histoire de la fabrication d'un roman ne serait rien : ce qui compte, dans mon livre, c'est que le roman projeté dès le début du livre finit par [...] se substituer au livre lui-même : ce qui représente – mais cela était imprévu – une victoire assez joyeuse de la fiction sur l'autobiographie et le journal intime. En fin de compte j'écris un roman qui m'écrit [...] : il jaillit de moi dans une sorte de coïncidence entre mon vide et son contenu » (Aquin, *Journal*, 17 sept. 1964). — **P. 93** : « Mon vouloir-vivre à moi a toujours été une façon de me cramponner [...] sur le radeau de la Méduse » (extrait d'une entrevue d'Aquin accordée au magazine *Maclean*, sept. 1966). — **P. 93** : la cit. est tirée du 3ᵉ chap. de *La Chute*. — **P. 94** : lire l'acte III, sc. 3, lignes 682-710 de *Lorenzaccio* de Musset. — **P. 94** : voir dans la 4ᵉ part. de *L'Homme révolté* les réflexions de Camus sur le roman et la révolte. — **P. 94** : Balzac, *Séraphîta*, chap. I. — **P. 95** : propos sur *L'Antiphonaire* tenus par Aquin au cours d'une entrevue dont on trouve la transcription dans *Voix et images*, vol. 1, nᵒ 1 (sept. 1975). — **P. 95** : le *Second Faust* est cité dans la trad. de S. Paquelin. — **P. 96** : voir les textes d'Aquin sur « Le Christ ou l'aventure de la fidélité » et « La mort de l'écrivain maudit ». — **P. 98** : sur le rêve de Livre total, voir les dernières pages du chap. VI-II dans *L'Œuvre ouverte* d'Eco (trad. C. Roux de Bézieux). — **P. 98s.** : voir dans *Le Phénomène humain* : partie 1, point 3.1.2 ; la note infrapaginale à la toute fin du point 2.3.C de la 2ᵉ partie ; et les dernières pages de la partie 4. — **P. 99** : R. Steiner, *L'Esprit de Gœthe*, point II : « Sa manifestation dans *Faust* » (trad. G. Claretie). — **P. 100s.** : l'émission radiophonique en question a été diffusée le 24 mai 1964. Le tapuscrit du texte d'Aquin nous a servi de guide pour la rédaction des lignes sur le Surhomme. — **P. 100** : sur Miron, voir l'art. d'Aquin intitulé « La mort de l'écrivain maudit ». — **P. 100** : les paroles d'Hypérion sont tirées de l'essai d'Ernst Bertram sur *Nietzsche* (trad. R. Pitrou). — **P. 101** : « aéronaute » plutôt qu'« astronaute », si on se fie au début du chap. 7 du *Nietzsche* de Zweig : « "Nous, aéronautes de l'esprit", disait un jour Nietzsche, fièrement, pour célébrer cette liberté unique de la pensée qui trouve ses nouveaux chemins dans l'élément sans limite et encore vierge » (trad. A. Hella et O. Bournac). — **P. 101** : voir le paragr. sur Turin à la fin du 1ᵉʳ chap. de *L'Antiphonaire*. — **P. 101s.** : sur J. G. Hamann (1730-1788), voir *Le Mage du Nord, critique des Lumières* par I. Berlin (trad. M. Martin). — **P. 102** : l'affirmation du Diable à propos des génies se trouve au chap. XXV du *Faust* de T. Mann. — **P. 102** : voir le chap. sur « Le Chevalier, la Mort et le Diable » dans le *Nietzsche* de Bertram (*op. cit.*). — **P. 102** : le discours de Valéry en l'honneur de Gœthe se trouve dans *Variété IV*. — **P. 102** : ces paroles sont prononcées par P. X. Magnant (« m'avait hissé », « J'avais franchi ») vers la fin du chap. intitulé « Suite IV » de *Trou de mémoire*.

Index des noms

Cet index comprend les NOMS DE PERSONNES, les *NOMS D'AUTEURS*, les noms de personnages historiques, **mythologiques**, *littéraires & bibliques*.

A

Adriaen, 61

Albert, Stephen, 89

Amleth, 84

ARTAUD, A., 13, 15-17, 19, 66, 68-69

B

BACH, J.-S., 67-68

Baffin, Julian, 82

Bakounine, M. A., 35

BALZAC, 39, 41, 52, 56-57, 71, 91-92, 94

Béatrice, 71

Beausang, Jules-César, 95, 97, 101

Bloom, Léopold, 59, 85-86, 89-90

Bloom, Marion Molly, 90

BOILEAU-NARCEJAC, 61-63

Bond, James, 64

BORGES, J. L., 53, 74, 87-89, 97

Boulanger, Rodolphe, 56

BOURGET, P., 81

Bovary, Emma, 49, 56, 59

BRANCUSI, C., 57

BRETON, A., 14

BYRON (LORD), 39, 41-43, 50

C

CAMUS, A., 14, 93-94

CARRIER, L.-G., 42

CAZALIS, H., 50

César, 38, 74, 78

CHATEAUBRIAND, F. R. DE, 70

Christ, 29-30, 34, 49, 52, 54, 58-59, 62, 73, 96, 99-100

CLARE (LORD), 42

Claudius, 81

CLOUZOT, H.-G., 15, 68-69, 79

COCTEAU, J., 75-76, 78
COLET, L., 50
COPERNIC, N., 52
COPPI, F., 65
Cornélis, André, 81

D
Dedalus, Stephen, 86-89
Diable, 96, 102
Dieu, 27-29, 35, 52, 57, 59, 63,
    66, 95
Don Quichotte, 35
D'ORS, E., 53-54
DOYLE, C., 61, 63
DU BOS, C., 43, 49
Dubuque, Sylvie, 52, 58-59,
    66, 90
DÜRER, A., 102

E
ECO, U., 59, 64, 72, 98
Édouard, 68
ELIOT, T. S., 84-85

F
FANGIO, J. M., 65
Faust, 94-100, 102
FAVREAU, M., 20, 24, 26-27, 48,
    99
Ferragus, 71, 91-93
FERRON, J., 78
FLAUBERT, G., 49-50, 57, 59, 97
Fœdora (comtesse), 56
Forestier, Christine, 97, 101
Forestier, Jean-William, 95,
    101
Fortinbras, 79, 81-83, 85-87

G
GACHET, P. F., 13, 17
GALILÉE, 52
GARNEAU, R., 19, 33
Gertrude, 81
GIDE, A., 83
GŒTHE, J. W. VON, 95, 97-99,
    101-102
Guildenstern, 81

H
Haines, 84
HAMANN, J. G., 101
Hamlet, 29, 51-53, 58, 61, 66,
    73, 78-87, 97-98, 102
Harold, Childe, 93
HEIDEGGER, M., 64
HITCHCOCK, A., 78-79
HOLBEIN, H., 66, 102
Holmes, Sherlock, 61, 63
Horatio, 79
Hubert (saint), 78
HUIZINGA, J., 64-65
HUNTINGTON, W., 64
HURTUBISE, C., 18, 33
Hypérion, 100

I
Ixion, 26

J
JAMES, H., 64, 72
JANKÉLÉVITCH, V., 43
Jean (saint), 49
Jean de la Croix (saint), 35
Job, 95-96
JOYCE, J., 52, 57-60, 63, 72, 89-
    91, 96-97
Juliette, 90

K

KAFKA, F., 70-71
KEPLER, J., 52-53, 57

L

Laërte, 81
Lallemant, René, 78, 80-81
LAVIGNE, J., 31, 81
LEIBOWITZ, R., 68
LEMELIN, R., 13, 16-19, 21-23,
   33, 37, 41, 48, 74-77, 80
LEVIN, H., 58, 63
Lorenzaccio, 50, 94

M

Magnant, P. X., 60
MALLARMÉ, S., 50, 52, 71, 97
MALRAUX, A., 34-35
MANGAN, J. C., 60
MANN, T., 102
MANOLETE, 65
Marguerite, 95
Marie (sainte), 95
Méduse, 93
Méphistophélès, 95-96
MICHELSTAEDTER, C., 32
MIRON, G., 20, 24, 34-35, 48,
   100
Mulligan, Buck, 58
MURDOCH, I., 81
MUSSET, A. DE, 28-29, 42, 49-
   50, 94

N

NABOKOV, V., 54-56, 59, 82
NIETZSCHE, F., 30, 85, 87, 100-
   102
Noble, Linda, 27, 49, 52, 59,
   66, 95
NOVALIS, 97

O

Œdipe, 15, 61, 73-78, 83, 85-
   86, 97-98
OLIVIER, L., 83
Ophélie, 81-82, 85

P

PARACELSE, 95-97
Paul (saint), 48, 99
Pearson, Bradley, 82
Pénélope, 90
PÉPIN, G., 18
PÉPIN, L., 18
PICHETTE, H., 60
Polonius, 78, 81
Pyrrhus, 80

Q

Quain, Herbert, 87-88

R

RIVIÈRE, J., 36-37
ROBBE-GRILLET, A., 63, 75
Roméo, 90
Rosencrantz, 79, 81
ROUSSEAU, J.-J., 39

S

SARTRE, J.-P., 14-15, 21, 32, 58,
   71
Satan, 96
SAXO GRAMMATICUS, 84-85
SCHELLING, F. W. J., 29-30, 49,
   50, 59, 76, 84, 87, 102
SÉNÈQUE, 78
Séraphitâ, 94
SHAKESPEARE, W., 29, 58, 60,
   63, 66, 79-82, 85, 87, 97
SIMENON, G., 61
SONTAG, S., 63, 68

SOPHOCLE, 77-78, 97
Sphinx, 61, 74-76
STAËL (MADAME DE), 42
STAËL, N. DE, 65
STEINER, R., 99
Surhomme, 30, 100

T
TEILHARD DE CHARDIN, P., 29-31, 49, 57, 62, 64, 98
THOMAS D'AQUIN (SAINT), 57
TRUDEAU, P. E., 18, 20-23, 50-51, 62, 74, 77

U
Ulysse, 52, 57-60, 63, 72, 84-86, 89-90, 96-98, 101
UNITAS, J., 65

V
Valentin, Raphaël, 39, 41, 52, 56

VALÉRY, P., 102
VAN DOESBURG, T., 67
Vanesse, Nicolas, 52, 58-59, 63, 66, 79, 81-82, 90
VAN GOGH, V., 13, 15, 17-19, 64, 67
VERCORS, 78, 80
VICO, G., 54, 57
Vos, Éva, 27, 30, 49, 52, 59, 66, 81-82, 95

W
WRIGHT, F. L., 67

Y
YANACOPOULO, A., 40

Z
ZELTER, K. F., 101
ZWEIG, S., 100

Constantes

BEAUDRY Jacques ☞ *Hubert Aquin : la course contre la vie*

BOSCO Monique ☞ *Ces gens-là*

BOSCO Monique ☞ *Eh bien ! la guerre*

DUMONT Fernand ☞ *Le Lieu de l'homme*

DUMONT Fernand ☞ *Pour la conversion
de la pensée chrétienne*

DUQUETTE Jean-Pierre ☞ *Colette — L'Amour de l'amour*

FRÉGAULT Guy ☞ *Le Dix-huitième siècle canadien*

KATTAN Naïm ☞ *Culture — alibi ou liberté ?*

KATTAN Naïm ☞ *Le Désir et le pouvoir*

KATTAN Naïm ☞ *L'Écrivain migrant*

KATTAN Naïm ☞ *Écrivains des Amériques
Tome I Les États-Unis
Tome II Le Canada anglais
Tome III L'Amérique latine*

KATTAN Naïm ☞ *La Mémoire et la promesse*

KATTAN Naïm ☞ *Le Père*

KATTAN Naïm ☞ *La Réconciliation*

KATTAN Naïm ☞ *Le Réel et le théâtral*

KATTAN Naïm ☞ *Le Repos et l'oubli*

LEMOYNE Jean ☞ *Convergences*

MAJOR Jean-Louis ☞ *Entre l'écriture et la parole*

MARCOTTE Gilles ☞ *Une littérature qui se fait*

McLUHAN Marshall ☞ *D'œil à oreille*
Traduction : Derrick de Kerckhove

MᶜLUHAN Marshall ☞ *La Galaxie Gutenberg*
Traduction : Jean Paré

MᶜLUHAN Marshall ☞ *Pour comprendre les médias*
Traduction : Jean Paré

MOISAN Clément ☞ *Comparaison et raison*

MOISAN Clément ☞ *Poésie des frontières*

MORIN Michel ☞ *Créer un monde*

MORIN Michel ☞ *Mort et résurrection de la loi morale*

MORIN Michel et ☞ *Les Pôles en fusion*
BERTRAND Claude

OUELLETTE Fernand ☞ *Les Actes retrouvés*

OUELLETTE Fernand ☞ *Écrire en notre temps*

ROWLAND Wade ☞ *La Soif des entreprises : cupidité inc.*
Traduction : Julie Lavallée

SAINT-DENYS Garneau ☞ *Lettres à ses amis*

SAINT-MARTIN Fernande ☞ *Les Fondements topologiques
de la peinture*

SAINT-MARTIN Fernande ☞ *Structures de l'espace pictural*

SIMARD Jean ☞ *Une façon de parler*

STERN Karl (Dʳ) ☞ *Le Refus de la femme*

TRUDEAU Pierre Elliott ☞ *Le Fédéralisme et la société
canadienne-française*

VADEBONCŒUR Pierre ☞ *L'Autorité du peuple*

VADEBONCŒUR Pierre ☞ *La Ligne du risque*

WRIGHT Ronald ☞ *Brève histoire du progrès*
Traduction : Marie-Cécile Brasseur

Achevé d'imprimer
sur papier Enviro 100 % recyclé sur
les presses de l'imprimerie Gauvin
Gatineau, Québec

BOY 23-05-06    JUIN 2006